DU MÊME AUTEUR

Aux Éditions Gallimard

SOTOS, *roman*, 1993 (Folio nº 2708).

ASSASSINS, *roman*, 1994 (Folio nº 2845).

CRIMINELS, *roman*, 1996 (Folio nº 3135).

SAINTE-BOB, *roman*, 1998 (Folio nº 3324).

VERS CHEZ LES BLANCS, *roman*, 2000 (Folio nº 3574).

ÇA, C'EST UN BAISER, *roman*, 2002 (Folio nº 4027).

FRICTIONS, *roman*, 2003 (Folio nº 4178).

IMPURETÉS, *roman*, 2005 (Folio nº 4400).

MISE EN BOUCHE, *récit*, 2008 (Folio nº 4758).

IMPARDONNABLES, *roman*, 2009 (Folio nº 5075).

INCIDENCES, *roman*, 2010 (Folio nº 5303).

VENGEANCES, *roman*, 2011 (Folio nº 5490).

"OH...", *roman*, 2012 (Folio nº 5704).

LOVE SONG, *roman*, 2013 (Folio nº 5911).

CHÉRI-CHÉRI, *roman*, 2014 (Folio nº 6098).

VOYAGES, *en coédition avec Musée du Louvre Éditions*, 2014.

Aux Éditions Futuropolis

MISE EN BOUCHE, avec Jean-Philippe Peyraud, 2008.

LUI, avec Jean-Philippe Peyraud, 2010.

Aux Éditions Bernard Barrault

50 CONTRE 1, *histoires*, 1981.

BLEU COMME L'ENFER, *roman*, 1983.

ZONE ÉROGÈNE, *roman*, 1984.

37°2 LE MATIN, *roman*, 1985.

MAUDIT MANÈGE, *roman*, 1986.

Suite des œuvres de Philippe Djian en fin de volume

DISPERSEZ-VOUS, RALLIEZ-VOUS !

PHILIPPE DJIAN

DISPERSEZ-VOUS, RALLIEZ-VOUS !

roman

GALLIMARD

À Elisa, Kira, Zoé

Nos voisins les plus proches étaient des vieux. Je ne m'y intéressais pas beaucoup. Je jetais rarement un coup d'œil dans leur jardin quand je passais, je les saluais à peine s'ils étaient dehors à inspecter leurs fleurs ou leur gazon ou occupés à lire dans leurs chaises longues en buvant du thé glacé. Je tournais la tête vers les bois, je regardais ailleurs. Mon père me demandait juste d'être polie avec eux.

J'étais polie. Je leur avais tendu la main lors des présentations. La femme m'avait embrassée. Je pense qu'elle avait une bonne soixantaine d'années. Mon frère, Nathan, avait haussé les épaules. Elle est baisable, non, m'avait-il soufflé.

Bien après, j'ai repensé à ses paroles en la voyant nue sur le tapis de sa chambre, la langue violette. C'était la première fois que je me trouvais en présence d'une femme épilée. Il faisait nuit. J'ai entendu mon père pousser un juron dans une autre pièce.

Je me suis penchée sur elle pour tâter sa cuisse quand mon

père est venu me chercher. Nos regards se sont croisés. Ma mère avait plié bagages depuis longtemps.
Nous sommes sortis. Mon père s'est laissé choir dans un fauteuil de la véranda. Sans dire un mot. Son père s'était suicidé lui aussi.
Lorsque nous sommes retournés nous coucher, le jour se levait à peine, l'horizon pâlissait. Il faisait encore bon pour une fin d'automne. Un policier nous avait interrogés, avait pris quelques notes en bâillant tandis que d'autres s'affairaient à l'intérieur, me souriaient, ouvraient des placards, soulevaient des coussins — mais tout ça ne perturbait guère le silence aux alentours, les bois noirs de l'autre côté de la route.
Est-ce que ça va, m'a demandé mon père.
Je n'ai pas bien compris sa question, sur le coup, car je ne voyais pas pourquoi ça n'irait pas. Je n'éprouvais rien de particulier pour ces gens.
J'ai acquiescé avec un vague mouvement d'épaules.
Il pensait que je tenais de ma mère cette froideur, ce cœur dur. Une femme qui avait plaqué son mari et ses enfants sans hésiter.
Au moins, tu vois ce que l'on récolte, a-t-il soupiré en regagnant sa chambre.
Je ne savais pas très bien pourquoi elle nous avait plaqués, j'étais encore une enfant à l'époque, je ne savais pas si elle nous avait oubliés, mais lui ne l'avait pas oubliée. Il me semblait qu'elle n'avait pas quitté son esprit un seul instant durant toutes ces années. Une sorte de rumination sans fin, profondément douloureuse.

Comme agent immobilier, mon père avait d'assez bons réflexes, il n'a pas attendu. Je ne lui en voulais pas de se servir de moi. J'avais fini par m'habituer aux enterrements, à la main que mon père posait sur mon épaule au moment de présenter nos condoléances à de parfaits inconnus. J'avais fini par m'habituer à ces familles en larmes, au deuil, à le voir distribuer ses cartes de visite en compatissant à leur malheur — il me tenait contre lui, l'image même du brave type, du bon père de famille prêt à se rendre utile.
J'avais pas mal grandi depuis, nous étions presque de la même taille, j'étais maigre, mais ma présence à ses côtés, en certaines occasions, généralement funèbres, semblait toujours indispensable. Je ne voulais pas en discuter. Son travail n'était pas facile et la concurrence était rude. Je ne voulais pas être une ingrate. Nathan lui suffisait.
Au moment de nous mettre en route, il m'a glissé un coup d'œil satisfait. C'était une des choses qu'il aimait dans la vie. Me voir en jupe avec des chaussures cirées.
Mon père et moi connaissions l'origine du mal qui avait empoisonné nos voisins et les avait détruits tous les deux. Nous avons gardé le silence durant le trajet, l'un et l'autre enfermés dans nos pensées. Il y avait un peu de vent, des feuilles mortes s'envolaient, de longs nuages blancs filaient comme des torpilles. Je ne pouvais pas dire à quel point Nathan me manquait. De lui aussi, nous étions sans nouvelles et je passais mon temps à le détester, à le haïr.
J'ai observé mon père durant l'enterrement, sa nervosité derrière un masque impassible, ses lèvres serrées, son

front baissé. Je savais ce qu'il pensait, que le résultat était là, que c'était l'œuvre de Nathan, l'inévitable résultat de ses turpitudes. Baiser la femme de son voisin, mon père n'appréciait pas beaucoup ce genre.
Quoi qu'il en soit, la chance lui a souri ce matin-là. Le fils de la famille, un homme d'une quarantaine d'années, d'allure élégante, s'est avancé vers nous à la sortie du cimetière, tandis que mon père et moi étions en train d'astiquer nos chaussures. Les allées poussiéreuses des cimetières étaient la plaie et mon père avait ses manies — il prévoyait des chiffons de secours dans la boîte à gants.
L'homme s'est arrêté à quelques pas et nous a considérés — souriant aimablement, tenant la carte de visite de mon père entre deux doigts, découvrant ses dents blanches.

Chaque fois qu'il décrochait une bonne affaire, ce qui n'arrivait pas tous les jours, mon père se servait un grand verre d'alcool avant d'aller se coucher et il se mettait à parler tout seul au bout d'un moment. Je m'étais aperçue qu'il buvait également s'il avait des soucis d'argent ou si quelque chose n'allait pas, mais je ne l'avais jamais vu ivre, j'entends totalement ivre, je préférais fermer les yeux, consciente du mal qu'il se donnait, comme il s'accrochait à ce qui restait de nous.
À la tombée de la nuit, le vent s'est renforcé et nous avons fait le tour des pièces pour fermer les volets avant de nous coucher. Il y avait de la lumière dans la maison des voisins que l'on distinguait à peine derrière les arbres balayés par

de fortes rafales. Mon père est resté un moment devant la fenêtre, à fixer l'obscurité, son verre à la main.
Il était satisfait. L'affaire avait été rondement menée. Je sentais son excitation, sa légère euphorie. Il avait besoin d'être valorisé de temps en temps et son patron l'avait appelé pour le complimenter.
Il ricana brièvement et posa son verre pour tirer les volets. Le vent s'engouffra et lui fouetta le visage.
Cependant, il ne trouvait pas très honorable de profiter des dégâts provoqués par son fils. C'était l'ombre au tableau, le revers de la médaille, selon lui. Il m'a interrogée du regard pour savoir ce que j'en pensais, mais je n'ai rien dit.
Je me demandais encore comment Nathan s'y était pris pour séduire cette vieille femme. J'avais beau trouver ça répugnant, j'étais fascinée. J'ai entendu mon père se cogner contre un meuble et jurer entre ses dents tandis que je me couchais. J'ai éteint.

J'étais en train de faire une machine. Quand j'ai relevé la tête, il était là et j'ai eu un mouvement de recul. Pour finir, comme il gesticulait derrière le carreau, je l'ai laissé entrer. Je n'étais pas très sociable. Nous l'avions pour voisin depuis une dizaine de jours et j'avais réduit nos échanges à quelques mots, bonjour bonsoir, à de vagues signes de la main. Il me tardait que mon père parvienne à vendre la maison et qu'il s'en aille.
Myriam. Bonjour. Ça va. Ton père n'est pas là. Je suis enfermé dehors, figure-toi.

Je suis allée chercher le double que nous gardions pour les visites. J'ai senti son regard dans mon dos. Ce n'était pas la première fois. Ça me dérangeait. Je préférais m'éclipser quand il venait discuter avec mon père — quitte à me montrer presque grossière envers lui.
J'ai posé les clés sur la table. J'évitais de toucher les gens, pour ainsi dire.
Je te fais peur, m'a-t-il demandé. J'espère que non.
Il a souri puis il a ramassé les clés. Je l'ai suivi des yeux pendant qu'il retournait chez lui, coupant à travers les bosquets et les arbres épars, dépouillés, qui séparaient nos deux maisons. Je n'avais rien de particulier contre lui. J'aurais juste préféré qu'il ne soit pas là. Ni lui ni qui que ce soit d'autre. J'aimais par-dessus tout qu'on me laisse tranquille. Je ne demandais rien de plus.
Comme j'étendais le linge, il m'a appelée, il m'a dit de venir voir une minute. J'ai répondu c'est quoi, je suis occupée. Puis j'ai repris mes occupations sans plus penser à lui et je fumais une cigarette lorsqu'il s'est de nouveau manifesté quelques minutes plus tard, tenant un serpent mort dans son poing et serrant l'autre contre son ventre.
Ce truc m'a mordu, a-t-il déclaré en prenant un air soucieux. Je dois faire quoi.
Rien, j'ai dit. C'est une couleuvre.
Ah bon. Tu en es sûre.
Il s'est assis d'autorité à la table de la cuisine.
Elles sont protégées, j'ai dit.
Il a hoché la tête. D'accord, a-t-il soupiré, je suis désolé. Je crois que j'ai paniqué.

Le soir venu, lorsque mon père est rentré, j'ai attendu la fin du repas, et tout en débarrassant, je lui ai demandé s'il y avait du nouveau concernant la vente de la maison d'à côté.
Je ne veux pas que tu t'inquiètes de ça, m'a-t-il répondu sèchement. Le marché va reprendre. Tout le monde tire la langue.
Je ne pouvais pas lui dire que j'étais impatiente de voir notre voisin retourner d'où il venait. Que le moindre changement dans mes habitudes me contrariait, suscitait ma méfiance — Nathan appelait ça être coincée à mort. Il pouvait appeler ça comme il voulait. Il n'était plus là pour m'éclairer de ses lumières.
J'ai rangé la vaisselle pendant que mon père était plongé dans son journal et je suis sortie dehors pour fumer une cigarette.
Le voisin était dans son jardin, brûlant des feuilles mortes à la nuit tombée.
C'est bon. Je l'ai enterrée, a-t-il dit.
C'est bien, j'ai dit.

J'avais dix-huit ans et je n'avais toujours pas mes règles, mais je m'y étais préparée, je m'étais renseignée et j'avais tout ce qu'il fallait, j'avais entreposé le nécessaire dans un tiroir de ma commode spécialement réservé, des gants de latex pour ne pas me salir les mains, un savon antibactérien, un déodorant intime, etc., j'appréhendais ce moment avec assez d'inquiétude pour ne pas me laisser prendre au dépourvu. Or c'est arrivé au milieu de la nuit, sans prévenir, je me suis réveillée au matin dans une mare de sang. J'ai cru que le plafond de la chambre s'effondrait sur moi. Je me suis levée d'un bond en gémissant, je me suis aperçue dans le miroir, échevelée, grimaçante, ma chemise de nuit barbouillée de sang, mes mains écarlates, j'aurais voulu disparaître, me glisser dans un trou de souris, j'étais au bord des larmes, horrifiée. Et au même instant, mon père m'a demandé si j'étais prête.

J'ai failli me trouver mal. Je ne sais par quel miracle j'ai réussi à lui crier que j'arrivais, mais entendre ma voix m'a fait reprendre mes esprits. J'ai attrapé mes draps et ma couverture et je me suis enfermée dans la salle de bains la mort dans l'âme, parcourue de sueurs froides.

Ça ne pouvait pas tomber plus mal — ni de manière plus effrayante. J'ai compris que j'allais vivre un enfer en voyant toutes ces voitures garées sur les bas-côtés de la route, en plein soleil. Il y avait du monde. J'avais encore les cheveux humides, je me sentais nauséeuse, fatiguée. J'étais terrifiée à l'idée que ça puisse traverser mes vêtements.

Il n'y avait rien que je détestais autant que ces kermesses mais mon père y tenait, pour une raison ou pour une autre. Il m'a dit qu'il me trouvait pâle, en coupant le contact. Puis il est sorti de la voiture en ajoutant pince-toi les joues, Myriam.

Il soufflait un vent tiède qui agitait les banderoles tendues entre les arbres ornés de quelques feuilles récalcitrantes, et qui gonflait les parasols au-dessus des stands où s'étalaient des milliards de cochonneries dont plus personne

ne voulait. J'ai emboîté le pas de mon père et nous nous sommes mêlés à tous ces gens alors que j'aurais préféré me jeter dans une bassine d'eau bouillante.
Je suis restée derrière lui, me forçant à sourire dans l'état où j'étais.
Mais je me suis vite sentie trop faible, j'avais mal au ventre, et j'ai ralenti le pas jusqu'à le perdre de vue tandis qu'il poursuivait son chemin en saluant les uns et les autres. J'ai cherché des yeux un endroit où je pourrais m'asseoir une minute.
Je suis alors tombée presque nez à nez avec lui. J'ai pensé oh non.
Ça va, ça vous plaît, j'ai dit cependant qu'il s'approchait de moi et que je repoussais des enfants venus jouer dans mes jambes.
Il m'a considérée un instant, puis il a proposé que nous allions nous asseoir.
J'ai accepté, je me sentais moite, poisseuse, je ne pouvais plus tenir debout. Il y avait des bancs, des tables dépliées sous un étroit chapiteau. Il m'a commandé un Coca. C'est bon pour le mal au ventre, a-t-il déclaré, et comme je levais les yeux sur lui, il a ajouté qu'il avait une sœur. Je veux dire, je sais ce que c'est. Détends-toi.
Des fanions claquaient au vent dans le ciel bleu, un type vendait des machines à bulles.
Elle se mettait une bouillotte, a-t-il repris.
J'ai croisé rapidement son regard puis j'ai terminé mon verre au moment où le vent s'engouffrait en sifflant comme un torrent dans les travées et les gens ont soudain

commencé à ranger leurs affaires, à converger vers les voitures tandis qu'une équipe s'apprêtait à démonter le matériel qui risquait de s'envoler. Mon père a voulu rester pour aider. Des journaux, des emballages tournoyaient à présent dans l'air brûlant, se déchiraient dans la tempête. Il fallait crier pour s'entendre, plisser des yeux pour se voir. Il a tenu mon bras, il a crié vas-y, va avec lui, rentre.

J'avais remarqué qu'il possédait une belle voiture, mais je ne savais pas ce que c'était. J'en ai aussitôt apprécié le silence quand il a claqué ma portière. Comme devant un film dont on aurait coupé le son, j'ai observé mon père qui s'agitait en plein vent derrière le pare-brise, au milieu de la pagaille engendrée par le sauve-qui-peut général, tandis que mon voisin s'installait près de moi et prenait le volant.

Le pire m'attendait un peu plus tard, la honte absolue, lorsqu'il m'a déposée devant ma porte. Je lui ai adressé un vague sourire pour le remercier. À ton service, m'a-t-il dit. J'ai opiné et lui ai tourné le dos en m'engageant dans l'allée. Je l'ai entendu repartir quelques secondes plus tard, pendant que je sortais mes clés.

Je n'avais qu'une envie, tirer les rideaux, fumer une cigarette, m'allonger, me coucher en chien de fusil. En passant devant le miroir, je me suis liquéfiée, j'ai mis une main devant ma bouche et je me suis affaissée, j'ai prié pour que le vent emporte la maison. Maintenant.

Il m'a fallu quelques jours pour que je puisse de nouveau supporter son regard. Il suffisait que je l'aperçoive pour déguerpir, pour sentir mes joues s'enflammer dans la seconde, mon estomac se nouer.

Dans l'ensemble, mon père s'accommodait très bien d'une fille introvertie, complexée, meurtrie, inconsolable, mais il m'a demandé de faire un effort avec notre voisin qui venait de nous offrir cinq stères de bois en raison de son départ.

J'ai préparé un clafoutis en regardant les informations, des gens qui émergeaient de la cendre, d'autres grimpés sur les toits, des foules, des populations infestées, des villes bombardées, mais sans vraiment suivre ce qui se passait. Mon père n'était pas encore arrivé, le soir tombait, quelques lumières brillaient à travers les arbres.

J'ai sonné chez lui. J'ai fait du clafoutis si vous en voulez.

Il n'a rien dit.

Je suis restée comme une statue sous la lumière du porche avec mon assiette sous cellophane, les yeux fixés sur le troisième bouton de sa chemise. Puis il m'a prise par le poignet et m'a fait entrer.

Je n'avais pas remis les pieds dans cette maison depuis la mort de ses parents et je ne l'ai pas vraiment reconnue car presque tous les meubles avaient disparu, les murs étaient nus, les tapis roulés. Il a posé le clafoutis dans un coin pendant que je regardais autour de moi puis il m'a serrée contre lui.

Je n'ai pas bougé, je n'y ai même pas pensé, je suis restée sans réaction, comme si ce n'était pas moi, fixant le mur blanc dans son dos.

J'ai récupéré mon assiette en sortant et je suis retournée chez moi avant la nuit noire. Mon père était rentré.
Il a aimé, m'a-t-il demandé.
J'ai haussé les épaules pour dire que je l'ignorais. Je l'ai embrassé et suis allée prendre un bain. Pour ne pas voir mon corps, j'ai fait beaucoup de mousse. Au moins dix centimètres au-dessus de la surface, épaisse comme de la crème.

Durant les jours qui ont suivi, j'ai surtout tremblé à l'idée que mon père nous surprenne et cette peur m'anesthésiait littéralement, au point que j'étais incapable de ressentir quoi que ce soit, de penser quoi que ce soit, j'avais surtout hâte d'en finir. Le matin, dès que je mettais un pied hors de mon lit, je tombais dans une espèce de brouillard et je n'en sortais plus, je vaquais à mes occupations comme une automate jusqu'au moment où il surgissait et soulevait ma robe et jouissait en gémissant comme un enfant à l'intérieur de moi tandis que je me mordais les lèvres à l'idée d'être prise en faute.
Le temps restait un peu venteux, mais la douceur de l'automne l'emportait et la lumière était parfaite, les couleurs vibraient. Idéal pour les affaires, prétendait mon père qui en jubilait presque. Ainsi avait-il beau disparaître pour la journée, enchaînant les visites, ne rentrant plus avant le soir, assommé de fatigue, je n'en vivais pas moins dans la perpétuelle angoisse qu'un détail, qu'une marque ne me trahisse.
J'inspectais pourtant mes affaires avec soin après chaque rapport, je me lavais les mains, je me recoiffais, je véri-

fiais tout plusieurs fois, mais je n'en étais pas rassurée pour autant.
Il voulait que nous le fassions dans un lit, mais ça je ne pouvais pas, je m'acharnais à secouer la tête sans être capable de lui fournir une explication. Je voulais bien le faire debout mais je ne voulais pas m'allonger, me déshabiller, je ne voulais pas en arriver là.
Je le poussais vers la sortie dès que nous avions terminé, je refusais de l'écouter, je le laissais m'embrasser les bras, les mains, le visage, puis je refermais derrière lui sans m'attarder.
L'approche de son départ, maintenant que sa maison était vendue, lui brisait le cœur, disait-il. De sorte qu'il voulait déjà mettre au point des stratégies pour continuer à nous voir quand il aurait réintégré son appartement en ville, mais ce n'était pas moi qui pouvais lui fournir le moindre plan. Je m'essuyais en gardant le silence. Je haussais les épaules en cherchant des yeux ma culotte abandonnée sur le sol.
Souvent, il venait deux fois. S'il venait le matin, prétextant un besoin irrépressible, je pouvais m'attendre à le revoir dans l'après-midi. Et la nuit, il m'envoyait des messages enflammés auxquels je ne comprenais rien.
Le dernier jour, il m'a menacée de tout révéler à mon père si je ne jurais pas de lui rendre visite aussitôt qu'il aurait déménagé. C'était dit sur le ton de la plaisanterie, mais il tenait mon poignet fermement, en tout cas suffisamment. De ma main libre, et pour couper court, j'ai dégrafé son pantalon.

Je suis devenue sa femme au printemps. C'était ça, ou j'allais devenir folle. Il m'a tenue dans ses bras, il m'a consolée en me trouvant tremblante, prostrée dans un coin, la maison était vide, silencieuse, glacée, sans lumière, il m'a dit réfléchis, ça ne va pas s'arranger.
Il m'a fallu un bon moment pour comprendre ce qui m'arrivait — cette ombre qui planait au-dessus de moi comme un ogre gigantesque.
Puis je suis allée voir mon père à l'hôpital et du pied de son lit, en fixant les motifs du linoléum, je lui ai annoncé que j'allais le faire, que j'étais décidée. Je suis restée quelques minutes sans bouger, à attendre sa réaction, mais le pire était déjà passé, lui annoncer mon mariage n'y changeait pas grand-chose.
J'ai levé les yeux sur lui, sur son visage ridé, durci, qu'il avait résolument tourné vers la fenêtre où un ciel bas d'hiver virait déjà au crépuscule et j'ai vu une larme couler sur sa joue mal rasée. Les larmes, je connaissais. J'aurais pu prendre un bain au milieu de toutes les larmes que j'avais versées depuis ma naissance. Je portais la marque des coups qu'il m'avait administrés quelques jours plus tôt — pour finir avec une lampe qu'il avait fracassée sur ma tête et sur mon dos en hurlant mon nom.

J'ai fait la connaissance de Maria, la sœur de Yann, mon mari, le matin même de la cérémonie. Je ne connaissais personne et je n'en menais pas large. Elle m'a dit n'aie

pas peur, je suis là, je ne vais pas te quitter d'un pouce, tu peux sortir de ta tanière, ma chérie.
Je lui ai donné la main, je l'ai suivie, rassemblant toutes mes forces.
Tu t'es bien débrouillée, je te félicite, m'a dit Yann une fois dans la chambre.
Je me suis avancée vers la baie et j'ai découvert la ville, avec l'aube qui commençait à poindre entre les immeubles, les rues éclairées, c'était si nouveau, si étonnant.
Est-ce que ça te plaît, a-t-il demandé.
J'ai haussé les épaules. Comment savoir. J'étais encore abasourdie par le tournant brutal que prenait ma vie. Tous ces changements. Il s'est avancé dans mon dos, a ouvert ma robe et s'est frotté contre moi. Je l'ai laissée glisser à mes pieds, fascinée par le panorama.
Mon père est sorti de l'hôpital quelques jours plus tard mais il n'a pas cherché à me joindre ni répondu à mes appels. Yann pensait que je devais en profiter pour couper les ponts. Maintenant je suis là, me disait-il en m'offrant son bras pour m'endormir contre lui après m'avoir baisée pendant une demi-heure.
Le matin, joyeux, rasé, en costume, prêt à partir, il s'asseyait au bord du lit et me considérait d'un air tendre en m'appelant sa beauté, en glissant une main sous les draps pour me caresser entre les jambes avant de me quitter pour la journée, de traverser la chambre avec un léger sourire en mettant ses doigts sous son nez.
Il était satisfait de retrouver la ville, son bureau, après

avoir goûté aux charmes de la nature. J'avais dès lors un mari souriant et plein de sollicitude. Je n'aurais pu trouver mieux. Je me laissais faire, pour le reste. Ça me semblait normal. Je n'étais pas à plaindre, j'avais trouvé un abri, une planche à laquelle m'accrocher, et rien d'autre ne comptait. Je ne lui avais demandé qu'une chose, il avait ri mais j'avais fini par obtenir son accord. Je ne voulais pas de femme de ménage.

Femme au foyer me convenait très bien, je savais m'occuper d'une maison. Le travail ne me faisait pas peur et j'étais heureuse d'être seule, de n'avoir personne à qui parler, de disparaître, me libérant des tâches habituelles sans même y penser, me rendant utile.

C'était un appartement moderne, facile d'entretien, avec une terrasse où j'allais fumer mes cigarettes sans m'approcher du bord. Parfois, les choses devenaient claires et nettes autour de moi, mais ces instants étaient fugaces et tout se brouillait de nouveau. Je ne pouvais m'empêcher de penser à mon père et son silence brûlait comme un charbon au fond de mon ventre.

Je ne savais pas s'il se débrouillait. Je ne savais pas si un homme pouvait vivre quand sa femme et ses enfants l'avaient quitté. Je ne savais même pas s'il était mort.

Je n'ai pas mis le nez dehors une seule fois, durant les premiers jours. J'avais senti la panique me gagner dans l'ascenseur — tandis que Yann avait souri et sifflоté jusqu'au douzième et dernier étage — et je n'étais pas pressée d'y remettre les pieds. Yann m'a demandé si l'apparte-

ment me convenait. J'ai secoué la tête — j'étais un animal élevé en captivité qu'on relâche en pleine forêt.
Je me suis assise dès que j'ai pu, oppressée, muette, gardant mon sac serré contre moi, ramenant mes jambes — trop longues, trop encombrantes — sous mon siège, comme si je prenais ma place dans une salle d'attente.
Il m'a laissée reprendre mes esprits en disparaissant dans la cuisine. C'était la meilleure des choses à faire avec moi. Il était d'ailleurs étonnamment prévenant à mon égard, et même tendre, ce qui me surprenait toujours, qui était si nouveau pour moi.
Oh, on peut dire que tu lui as tapé dans l'œil, a ricané Maria. Il est sur un nuage, le pauvre.
Lorsqu'elle était là, j'ouvrais toujours de grands yeux et je ne sais pourquoi, sa présence me rassurait, malgré ce mélange de fée et de sorcière qu'elle partageait avec ma mère telle que je la voyais en rêve.
Je dois dire que tu es tout à fait son genre, a-t-elle ajouté en me tenant la main pour m'examiner. Une véritable asperge. Et tu ne te maquilles jamais, n'est-ce pas.
J'aimais bien son parfum. Elle habitait l'appartement en face du nôtre et s'inquiétait que je reste enfermée.
À ton âge, ma chérie, il aurait fallu me tuer pour que je me tienne tranquille. J'ai eu mon premier rapport sexuel à neuf ans, tu sais.
J'attends qu'il fasse un peu plus beau, j'ai dit.
Elle m'a répondu oui, mais le temps passe vite.
Elle s'inquiétait aussi de ma sexualité. Je ne comprenais pas bien ce qu'elle entendait par là. Mon père n'avait

jamais employé ce mot devant moi, ni abordé aucun sujet de la sorte — je ne parle pas de Nathan qui m'horrifiait, qui en rajoutait dans l'obscénité au point que je me bouchais les oreilles, à sa plus grande joie.
Je ne sais pas, j'ai dit.
Tu ne sais pas quoi, ma chérie.
Je ne sais pas de quoi vous voulez me parler.
Une sorte d'imperceptible roucoulement est monté de sa gorge, son visage s'est éclairé.
Est-ce possible, s'est-elle réjouie. Est-ce que ça existe encore.
Je me suis tournée pour voir de quoi elle parlait, mais il n'y avait personne.
Au fil des jours, je me suis détendue avec elle. Le printemps tardait à s'installer durablement, il pleuvait assez souvent, il faisait gris et mon mari voyait plutôt d'un bon œil l'entente qui s'installait entre sa sœur et moi, elle me changeait les idées, mais il me mettait aussi en garde. Ne l'écoute pas trop, me disait-il, ne te fie pas à la moitié de ce qu'elle te dit, je la connais, ne la laisse pas tisser ses fils autour de toi.
Il me caressait gentiment la tête quand j'étais à ses genoux. Puis il me déshabillait, reniflait mes vêtements, m'allongeait sur le lit et grimpait sur moi. J'avoue que ça me laissait assez froide, mais ça ne semblait pas le déranger. Il roulait au bout d'un moment sur le dos et s'endormait avec le sourire tandis que je restais étendue à ses côtés dans la pénombre, puis me levais pour m'enfermer dans la salle de bains.

Il prétendait qu'il me fallait du temps pour m'apaiser, qu'il fallait s'armer de patience. Maria, on va lui éviter ce genre de choses pour le moment, disait-il. Elle n'a pas besoin de ça.
Ils parlaient de leurs prochaines soirées, ils avaient l'habitude de recevoir et Yann tâchait de persuader sa sœur de faire ça chez elle pendant quelque temps alors que celle-ci penchait pour la méthode radicale qui consistait à me jeter à l'eau le plus vite possible.
Ton eau est un peu brûlante, a-t-il dit.
J'étais leur sujet de conversation préféré.
Ils n'avaient pas connu leurs vrais père et mère, les autres n'étaient que leurs parents adoptifs, et Maria estimait qu'il y avait une certaine similitude entre nos histoires, au niveau des amputations, des manques. Peut-être que Yann a raison, a-t-elle admis en se postant devant la baie où ruisselaient la pluie et le ciel sombre et que de l'autre côté du couloir se déroulait l'une de ces fameuses fêtes à laquelle j'avais échappé, Dieu merci.
Elle portait une robe en lamé grenat, de la couleur de son rouge à lèvres, elle était superbe. Elle leur avait faussé compagnie pour fumer une cigarette avec moi, s'assurer que je ne me morfondais pas au fond de l'appartement avec ce temps de chien — je regardais un documentaire sur la mort des abeilles.
Ils sont tellement impatients de te voir, a-t-elle repris. Peut-être qu'il a raison, finalement. Qu'en penses-tu.
Elle m'avait soutenu sans faillir le jour du mariage et Yann m'avait réservé quelques portes de sortie quand je

voulais souffler un peu, mais je ne gardais pas un bon souvenir de l'événement, de l'agitation. Je ne connaissais personne, c'était horrible.
J'ai fini par dire que je n'avais pas l'habitude.
Je crois que je l'avais compris, a-t-elle répondu.
Comme la pluie cessait, j'ai ouvert la baie et l'air frais s'est engouffré et j'ai fermé les yeux tellement c'était bon.
Je l'ai entendue sortir.

Très vite, elle s'est occupée de ma garde-robe. Je ne possédais pas grand-chose et ça ne me tracassait pas beaucoup. M'acheter le moindre vêtement était une véritable corvée et mon père devait presque me traîner en ville pour m'habiller.
Lorsque j'ai essayé une jupe moulante ultra courte pour la première fois, je suis restée pétrifiée dans la cabine. Derrière la porte, Maria m'a demandé si tout allait bien. J'en ai bégayé, j'ai dit que je ne pouvais pas sortir dans cette tenue.
Bien sûr que tu le peux, ma chérie. Quelle question.
J'étais très bonne pour me laisser faire, pour capituler. D'autant que je n'y connaissais rien, j'étais incapable de choisir, de me décider, rien ne m'attirait particulièrement. Je voulais juste ne pas lui déplaire, ne pas entamer le capital de sympathie qu'elle m'avait accordé d'emblée — j'en étais arrivée à prendre l'ascenseur, à me parfumer sous les bras.
Elle travaillait pour un magazine de mode. Je pouvais lui faire confiance, m'assurait Yann. Je pouvais me fier à son goût.

Je me surprenais à rire avec elle. J'en étais presque gênée. Comme si on m'attrapait la main dans le sac, en train de voler quelque chose. Je riais alors que j'étais sans nouvelles de mon père — je l'imaginais seul, abandonné, livide, se saoulant de nouveau à mort et replongeant dans son coma éthylique, sans personne pour appeler les secours cette fois, ou sombrant lentement mais sûrement dans l'alcool, ce qui ne valait guère mieux — depuis que j'avais quitté la maison, qu'il m'avait poussée à me jeter dans le vide.

Rire faisait vibrer quelque chose en moi qui se rapportait à l'enfance, à mon frère, à de lointaines images, floues et vagues, à des instants de pure lumière, si bien que je ne parvenais pas à me sentir vraiment coupable — je me contentais de mettre ma main devant ma bouche pour me cacher.

Un matin, elle a traversé le couloir qui séparait nos appartements pour m'annoncer l'anniversaire de Yann, j'étais en tablier, l'aspirateur à la main. Je n'étais pas au courant, bien sûr. Je suis restée muette, j'ai baissé les yeux sur l'aspirateur, je l'ai arrêté.

Il aurait pu être mon père. Ça m'a frappée sur le coup, vingt-cinq années d'écart, le sol s'est dérobé sous mes pieds mais ça n'a duré qu'une seconde, au fond je m'en fichais. Je ne me plaignais pas.

Yann m'avait donné une carte de crédit et j'ai pensé que je devais lui offrir une cravate ou un stylo à plume. Elle m'a considérée en souriant, les mains sur les hanches.

J'ai cru qu'elle allait m'entraîner chez son coiffeur mais

je suis ressortie de son salon de beauté avec le sexe épilé, encore cuisant. Elle était en revanche si heureuse, si fière de moi, que je lui ai souri à mon tour, sous le ciel bleu, le feuillage vert translucide. J'avais surmonté l'épreuve, le souffle coupé. J'étais contente de moi. Je me suis redressée.

Maria riait encore en pensant à son frère, à la divine surprise qui l'attendait. J'ai ri avec elle en rougissant.

La séance du salon de coiffure, quelques rues plus loin, s'en est trouvée réduite à une simple formalité. J'ai fermé tranquillement les yeux durant mon shampoing, je me suis fixée dans un miroir tandis qu'on m'égalisait les pointes.

Quand je me tenais dans la salle de bains, penchée devant la glace, m'examinant avec soin durant de longues minutes, immobile, je ne voyais rien sur mon visage, aucune différence. Et pourtant, je n'étais plus la même. Je n'étais pas devenue la personne la plus sociable du monde mais je n'étais plus aussi sauvage. En fait, je pouvais rester un moment dans une pièce remplie de monde sans me trouver mal. Sortir dans la rue et m'aventurer dans le quartier, seule. Ouvrir quand on sonnait à la porte. Mais rien de tout ça ne se voyait.

J'envoyais régulièrement des messages à mon père. Je n'en parlais pas aux deux autres. Depuis un moment, je ne lui écrivais plus que réponds-moi, je t'en prie, mais il ne me donnait aucun signe de vie — et je savais qu'il n'était pas mort car lorsque j'appelais sur le fixe, il décrochait, il ne prononçait pas un mot mais j'entendais sa respiration,

il me laissait gémir à l'autre bout et quand il en avait assez, il raccrochait.
J'en avais encore les lèvres qui tremblaient parfois. Je pensais que tout ça était ma faute. Je me sentais encore épouvantée.
Maria m'a dit Myriam, ma chérie, ce n'est pas une très bonne idée. Je ne sais pas. On ne peut pas tout pardonner.
Qu'est-ce que tu en sais, j'ai répondu sèchement.
J'en ai été aussi surprise qu'elle. Je ne répondais pas vite, en général, mais cette fois je n'avais pas eu besoin de réfléchir. Et je ne lui avais jamais parlé sur ce ton. Elle a levé un sourcil. Puis elle a secoué la tête.
Tu as raison, je n'en sais rien, a-t-elle déclaré.
Je n'avais plus peur, à présent, de m'approcher du bord de la terrasse. Je commençais à m'habituer au vide. Les nuits étaient encore fraîches mais les lumières, la rumeur, les rues, les reflets sur le fleuve valaient qu'on s'en accommode un moment en frissonnant un peu.
Yann sera de mon avis, a-t-elle repris.
J'ai de nouveau baissé les yeux mais j'étais déterminée et nous sommes parties un matin. Je l'avais embrassée en sortant, ou plutôt j'avais tenté de l'embrasser, car elle m'avait arrêtée, jugeant que ce n'était pas un bon service qu'elle me rendait.
Je le savais. J'avais beau me sentir apaisée par les champs, l'horizon, les bois qui défilaient sur le côté de la route, je savais que ce serait dur, douloureux, mais je ne pouvais pas lutter. J'étais sa fille. M'exiler au bout du monde n'y aurait rien changé.

Je n'avais aucune raison d'espérer son pardon. Tout me faisait craindre que mon mariage n'ait envenimé la situation et mon départ alimenté sa rage. Maria me le confirmait. Nous roulions vite. Quand elle se tournait vers moi, ses boucles d'oreille crépitaient comme du feu.

J'ai touché sa main quand elle s'est garée devant la maison, je lui ai dit merci, attends-moi là. Le jardin était encore couvert de feuilles mortes qui avaient viré au gris argenté. En dehors des cris d'oiseaux, tout était vert, silencieux.

J'ai frappé à la porte, j'ai appelé, puis j'ai sorti mes clés et je suis entrée. L'odeur avait changé. J'ai appelé de nouveau. La maison ne semblait pas trop en désordre. J'ai fini par m'avancer jusqu'à sa chambre, j'ai frappé, j'ai ouvert, son lit était plus ou moins fait, ses vêtements ne traînaient pas.

La mienne était vide. Mes tiroirs étaient vides, il n'y avait plus rien aux murs, mon lit avait été démonté, mon matelas enlevé, tout avait disparu, la moquette arrachée.

Il avait tout brûlé. Tout ce que je n'avais pas emporté avait fini dans le fond du jardin au milieu des flammes. De ma fenêtre, j'apercevais le tas de cendres, le cercle noir.

Je suis retournée à la voiture et j'ai dit il n'est pas là, allons voir à l'agence. Il faisait bon mais j'étais glacée.

Sur le chemin du retour, Maria s'est arrêtée au bord de la route pour que je puisse vomir. Elle m'a tendu un paquet de mouchoirs et une bouteille d'eau minérale. Je revoyais mon père me hurlant à la figure je ne veux plus te voir, tu m'entends, plus jamais — blême à faire peur, haineux,

m'indiquant la sortie, serrant les poings, me soufflant son haleine brûlante et alcoolisée au visage.
Ton père devrait se faire soigner, a-t-elle déclaré en redémarrant.
Lorsque nous sommes rentrées, elle m'a donné un Valium.

Yann a bredouillé je n'en reviens pas que tu aies fait ça, mais quel pied, mon bébé. J'étais assise au bord du lit, en appui sur les coudes, jambes ouvertes, et il était à genoux devant moi, ébloui, rayonnant.
Épilée ou non n'a pas changé grand-chose en ce qui me concernait. Je me suis laissé faire comme à l'accoutumée, je me suis assez vite sentie détachée, absente, j'ai fixé le plafond l'esprit vide tout en lui caressant la nuque.
Je pensais que si ce n'était pas plus dur, le mariage ne constituait pas une épreuve si terrible.
Au pire, les rapports sexuels étaient ennuyeux, ils n'étaient pas pénibles. Pas indispensables, mais Yann semblait y tenir et c'était une raison suffisante. Je me lavais avec soin quand nous avions fini et mon mari était satisfait. Rien de très compliqué.
J'apprenais. J'écoutais, j'observais. De leur côté, Yann et Maria avaient repris le rythme des sorties et soirées que ma venue avait perturbé. Je croisais pas mal de monde. Ils ne me laissaient jamais seule ou n'étaient jamais bien loin quand j'acceptais de les suivre — ils échangeaient alors un sourire satisfait qui balayait plus ou moins mes appréhensions —, si bien que je commençais à m'y faire.

C'était si différent de ce que j'avais connu. J'avais dix-huit ans, j'étais mariée.
J'allais courir dans le parc, de bon matin — j'avais fini par céder ma place de femme de ménage à une étudiante et je ne voulais pas rester pendant qu'elle était là. Le grand air me manquait un peu. Mais c'était aussi une façon de prendre conscience de ma solitude — je pouvais presque courir les yeux fermés.

Je suis tombée enceinte quelques mois plus tard. J'étais habituée à être assommée, à recevoir le plafond sur la tête. Yann m'a fait asseoir sur ses genoux pour me déclarer que je le comblais de joie alors que j'étais sans réaction, aussi froide qu'un jambon. Comme je revenais de mon jogging et qu'il me caressait la cuisse, je me suis levée et je suis retournée courir en pleurant, sans savoir pourquoi.
Le froid piquait les joues, les fontaines gelaient. J'avais de nouveau la sensation d'être projetée dans l'espace, catapultée dans la nuit. J'en frissonnais, baignant dans ma transpiration glacée.
Yann l'a annoncé le soir du Nouvel An et cette fois, rester dans l'ombre n'a pas été aussi facile et j'ai bu quelques coupes de champagne sans presque reprendre mon souffle, en clignant des yeux aux félicitations. J'ai également fumé de l'herbe, ma première bouffée d'herbe, pieds nus sur la terrasse, un peu avant l'aube, dans l'air vif. Au lever du jour, j'allais devoir arrêter. Le tabac allait me manquer.
Je me suis réveillée avec une paire de socquettes blanches. J'ai compris à d'autres détails que mon mari était passé par

là et je me suis demandé si je n'avais pas perdu conscience car je ne me souvenais de rien. Je me suis lavée, je me suis frottée. L'après-midi était déjà bien entamé, un banc de nuages bas, dociles, glissait sous le ciel opalescent, lumineux, silencieux. Je ne me sentais pas très en forme mais j'ai préféré courir que fumer. Ça commençait bien. Dans le parc, un type s'est arrêté et m'a lancé ça va mademoiselle, et je me suis aperçue que j'étais assise au pied d'un arbre, sur le gazon gelé, genoux serrés contre la poitrine, aussi raide qu'une statue, les yeux ouverts mais absolument aveugle — et de nouveau ces larmes qui coulaient sur mes joues alors que je ne sentais rien.

Je me suis relevée en sortant mon mouchoir. Il était déjà tard, le crépuscule s'irisait entre les tours éclairées de bureaux vides. J'étais surprise qu'étant si trouillarde je me sois laissé surprendre par l'obscurité qui tombait à présent, tandis que je rentrais. Mais pour finir, j'ai ralenti le pas. Je me suis sentie mieux, tout à coup.

Yann a déclaré qu'il commençait à s'inquiéter de mon absence, puis il m'a embrassée sur le front et a rejoint au salon une poignée de ses amis conviés à partager les restes du buffet de la veille, avant que je n'aie eu le temps d'ouvrir la bouche.

Pendant toute ma grossesse, il s'est abstenu de me toucher, il m'a même invitée à occuper la chambre d'amis afin, déclarait-il, de ne pas céder à la tentation dans l'état où j'étais. Je n'ai compris qu'après les vraies raisons de ce déménagement mais j'y ai souscrit sans hésiter. Avoir une chambre à moi était tout ce que je souhaitais. Avoir

mon territoire. J'avais oublié le plaisir de dormir seule. D'allumer la lumière au milieu de la nuit, de faire ce que je voulais.
De ma fenêtre, je voyais les arbres du parc, l'étang artificiel, les bâtiments du zoo. Nous revenions d'une soirée que Yann avait organisée pour la sortie d'un film lorsque j'y ai passé ma première nuit. Nous nous sommes quittés dans le salon, vaguement embarrassés avant de regagner nos chambres respectives — mais dès le soir suivant, il n'y paraissait déjà plus.
C'est devenu différent, entre nous, au fil des jours. Il se montrait aussi aimable et attentionné qu'auparavant mais je sentais une raideur, une distance de sa part. Je ne disais rien, je le constatais. N'étant pas moi-même très portée sur les étreintes, les effusions, les marques de tendresse, je n'allais pas m'en plaindre.
Il a trouvé la perle rare avec toi, a ricané Maria comme nous en parlions dans un taxi. Tu es tout ce qu'il lui fallait.
Nous descendions une avenue bordée de tours dont la hauteur donnait le vertige. Ça veut dire quoi, j'ai demandé.
Elle s'est contentée de rire.
Je savais ce que ça voulait dire. Je commençais à connaître mon mari, ses goûts. Je m'en fichais. Je ne voulais pas me mêler de ça.
Nous n'avions plus de rapports sexuels mais je ne cherchais pas à savoir s'il s'en accommodait ou s'il les compensait d'une manière ou d'une autre. Je n'avais pas l'intention de faire des vagues ni quoi que ce soit d'aussi

stupide — d'autant que mes besoins en la matière n'étaient pas énormes, le jeu n'en valait pas la chandelle.
Je n'avais donc aucun mérite à ignorer certains regards sans équivoque ou équivalent que je remarquais néanmoins quand nous sortions ou donnions une de ces soirées dont Yann et Maria raffolaient. Mon ventre avait du succès. Gonflé comme une outre, il encourageait quelques femmes volubiles à y poser une main ravie et poussait certains hommes à se mordre les lèvres ou à sortir prendre l'air — c'était amusant de les voir, tellement prisonniers de leurs désirs, tellement rudoyés, tellement réduits à ça.
Il n'y a pas que ton ventre, m'a déclaré Maria. Tes seins poussent également si tu ne l'as pas remarqué.
Les siens se dispensaient de soutien-gorge. Plus les miens.
Parfois, au moment où j'allais me coucher, Yann venait s'asseoir dans ma chambre et me regardait me déshabiller en silence. Il restait là, sans bouger, les mains sur les genoux, l'œil brillant, et lorsque enfin j'étais nue, ma culotte à la main, il se levait brusquement et sortait sans ajouter un mot. Je n'y pensais déjà plus en me brossant les dents. Je m'y étais faite.

Au printemps, mon frère s'est manifesté. Après trois ans de silence absolu. Notre père n'allait pas bien.
Sans réfléchir, et sous le coup de l'émotion, j'ai donné rendez-vous à Nathan à la cafétéria du zoo. Je ne savais pas pourquoi je faisais ça, pourquoi je ne le faisais pas venir à la maison. Je ne savais pas de quoi j'avais peur, mais j'étais terrifiée et totalement bouleversée à l'idée de

le retrouver. Je n'oubliais pas que je lui en voulais à mort. J'ai tourné en rond durant des heures dans ma chambre, incapable de tenir en place, le cœur battant d'appréhension, d'impatience, de colère et de joie. J'ai fumé un peu d'herbe dans l'après-midi pour me calmer, me fichant pas mal d'être enceinte et du reste. De peur de croiser mon mari, je suis sortie plus tôt et j'ai fait le tour du parc avant de m'asseoir sur un banc en attendant l'heure, en me tordant les mains.

Si on écoutait, on entendait les phoques, le rire des gens. Les arbres étaient en fleurs, les canards glissaient à la surface de l'étang et une odeur de beignets, de dragées tièdes flottait alentour. Par moments, mes pensées allaient vers mon père, mais elles s'envolaient vite.

Comme je m'installais à une table, Nathan s'est avancé vers moi en ouvrant les bras, avec un large sourire. Il m'a examinée avec un sifflement admiratif, tandis que je restais sans réaction. Mince, regardez-moi ça, a-t-il fait. Ma petite sœur.

Je l'ai repoussé quand il a voulu m'embrasser. Il a eu l'air étonné. Je me suis glissée sur la banquette, il a pris place en face de moi. Après un instant de silence, je lui ai dit allons-nous-en d'ici, j'ai besoin de boire un verre d'alcool. Arrête de répéter que nous l'avons abandonné, s'est-il énervé. C'est lui qui nous a flanqués à la porte.

Dehors, le ciel moutonnait. Je regardais ses mains, posées sur la table, à quelques centimètres des miennes, et je mourais d'envie de les saisir.

Ça ne m'amuse pas plus que toi, a-t-il ajouté. Attends, j'ai autre chose à faire.
Pour finir, j'ai pris ma respiration et je lui ai dit espèce de salaud, puis je me suis levée. Titubant légèrement sur mes jambes.
J'ai dit à Yann d'où je venais, avec qui j'étais, je lui ai parlé de la tristesse de cette rencontre, du peu de regrets que mon frère avait manifesté pour son silence, pour ma détresse, évacuée d'un vague haussement d'épaules.
D'accord, mais ce n'est pas une raison pour boire, m'a déclaré mon mari sur un ton calme. Tu n'as plus le droit, tu sais.
J'ai tourné les talons sans dire un mot en pensant allez tous vous faire foutre. Je vous hais.

Nathan avait vingt-six ans, mais il paraissait en avoir davantage. En trois ans, ses traits s'étaient durcis, ou assombris, je ne savais pas trop. Je l'observais tandis qu'il conduisait, distant, silencieux, et j'essayais de retrouver celui que j'avais si désespérément attendu pendant tout ce temps, celui dont la seule image parvenait à me maintenir en vie quelquefois. Il était sec, nerveux, il avait le cheveu ras, des lèvres fines, presque cruelles, héritées de notre père.
Au bout d'un moment, il a éteint la radio. Il semblait préoccupé. Puis il m'a lancé un coup d'œil.
J'aurais pas pu m'occuper de toi, a-t-il dit.
Je t'ai rien demandé, j'ai répondu.
Notre père était sous tranquillisants, littéralement assommé, je l'ai promené dans le jardin de l'hôpital

tandis que Nathan discutait avec le docteur sur le perron. J'ai poussé son fauteuil jusque sous un arbre et je me suis assise devant lui.
Il était attaché. Il ne semblait pas me reconnaître. Notre dernière entrevue ne m'avait pas laissée dans de très bonnes dispositions à son égard, mais je me suis penchée pour lui essuyer un coin de la bouche.
Je vais bientôt être maman, j'ai dit.
J'ai allumé une cigarette. Juste quelques bouffés, j'ai dit. Je ne fume plus, tu sais.
Tombant du feuillage, des pastilles de lumière voltigeaient autour de nous. Nathan s'est posté derrière lui.
Je peux pas le regarder, a-t-il déclaré.
J'ai répondu moi non plus.
Cette fois, la maison était un vrai capharnaüm, le jardin laissé à l'abandon. Nathan est descendu de sa chambre avec un sourire forcé.
Je l'attendais dans le salon, immobile. Il m'a dit lève-toi. Foutons le camp d'ici.
Nous sommes retournés à l'hôpital munis des papiers que l'on nous réclamait et Nathan en a profité pour se pencher sur son père et presque l'arracher de son lit pour lui déclarer combien il le trouvait méprisable, qu'il pouvait bien crever.
Il était furieux. Je l'ai entraîné vers la sortie avant qu'il ne provoque un esclandre. Ça va, laisse-moi, a-t-il grogné une fois dehors.
J'ai attendu qu'il se calme. J'étais surprise par sa réaction, qu'il prenne tout ça tellement à cœur.

Mêle-toi de tes affaires, m'a-t-il dit. Je le prends comme j'ai envie.

Yann a accepté sans broncher de régler les factures de l'hôpital et le séjour de notre père en clinique. Il m'avait observée durant un bon moment tandis que je me déshabillais et lui tendais mes bas, mes sous-vêtements — qu'il avait rapidement empochés. Mais ce n'était pas ça. Levant les yeux sur moi, il m'avait dit Myriam, c'est normal, c'est mon beau-père.

Par contre, il n'avait pas très envie de rencontrer Nathan, estimant que celui-ci s'était comporté comme une merde à mon égard et qu'il était un mauvais fils — Nathan avait déclaré qu'il n'avait pas la moindre intention de participer aux frais médicaux.

Je ne voyais pratiquement pas mon frère — sinon attablés à une terrasse, à l'occasion d'une de ces brèves rencontres que nous nous imposions pour sauver les apparences et dont je revenais le cœur serré —, mais j'ai appris qu'il rendait visite à notre père, sans m'en parler. Je l'ai appelé pour avoir des explications. Il m'a dit quelles explications, pour qui tu te prends. Depuis quand j'ai des explications à te donner.

J'ai fermé les yeux. Je ne savais plus si j'avais davantage souffert de son absence. J'ai raccroché. Je me suis assise. Je me suis demandé si je n'allais pas acheter un chien.

J'ai perdu un peu de sang à la fin du printemps, rien de grave, mais Yann l'a pris très au sérieux et n'a plus voulu me laisser seule. Il amenait du travail à la maison, des

projets à étudier, des histoires à lire, il marchait de long en large, le téléphone à l'oreille, me clignait de l'œil, et d'un bond il empoignait sa veste si je décidais de prendre l'air, prêt à me saisir le bras si je défaillais dans la rue.
Maria se moquait de lui mais il n'en tenait aucun compte. Elle n'avait pas été surprise lorsque je lui avais confié que nous n'avions plus de rapports depuis des mois, elle avait levé les yeux au ciel. Yann est un garçon tiraillé, avait-elle soupiré. Il a été enfant de chœur, tu sais. Il était bon.
Il aurait mérité d'être à ma place. Il était beaucoup plus concerné que moi, tellement plus attentif, plus informé. Il se réjouissait vraiment à l'idée d'être père, son impatience et son excitation grandissaient. Je ne pouvais pas en dire autant. Lorsqu'il s'agenouillait devant moi, le soir venu, et que radieux, reconnaissant, il enserrait mes jambes et inclinait son front contre mon ventre nu, je me retenais de bâiller ou d'éclater d'un rire nerveux. Je pensais parfois qu'il s'agissait d'une sorte de plaisanterie, que j'allais me réveiller un matin. J'avais l'impression de n'être là qu'à titre provisoire. En partie absente.
Maria admettait que j'avais fait de grands progrès, que je n'étais plus l'espèce d'enfant sauvage que Yann avait ramenée dans ses filets. Elle s'y était largement employée, se réjouissait du résultat, mais elle était persuadée qu'une analyse me remettrait définitivement d'aplomb.
J'ai proposé de m'inscrire à un cours de yoga. Elle m'a dit je suis sérieuse, ma chérie. Les choses ne s'arrangent qu'en surface.

Elle avait raison, mais ça ne suffisait pas à me convaincre. Souvent mon père avait évoqué ma mère et son charlatan. La chaleur m'épuisait. L'air climatisé me rendait malade, mais si je le coupais, ma chambre se mettait à bouillir comme une marmite. Il faisait presque quarante degrés dehors et depuis quelques jours il n'y avait plus un brin d'air. Plus aucune feuille ne bougeait. La fumée d'une cigarette, quand je parvenais quelquefois à tromper la vigilance de mon mari, se tendait vers le ciel comme une corde. Les gens marchaient à l'ombre. J'ai dormi quelques nuits sur la terrasse avec mon ventre énorme et un brumisateur. De temps en temps, Yann venait aux nouvelles, vaguement inquiet.

J'ai retrouvé Nathan au zoo. Les animaux dormaient, l'air était gluant. Nous nous sommes assis sur un banc, à l'écart. J'étais en nage.

Un service, quel service, j'ai demandé.

Il avait posé un sac entre nous.

J'aimerais que tu me gardes ce truc, a-t-il déclaré. Tu peux faire ça.

J'ai feint de réfléchir. J'ai dit c'est quoi.

Le gazon brûlait. La végétation souffrait. Le marchand de glaces clignait des yeux, s'essuyait le front. Nathan portait un tee-shirt, je remarquai ses bras musclés — davantage que dans mon souvenir.

S'il ne restait que ça, le faire enrager, j'aimais bien. Qu'il vienne me demander de lui rendre service, j'aimais vraiment bien. Tout à coup, l'air semblait presque respirable. À l'entendre, je n'avais pas besoin de savoir ce que

contenait le sac, il suffisait que lui, mon frère, demande à sa sœur de s'en occuper.
Il avait trouvé les mots justes.
J'ai dit okay, très bien.
En cadeau, j'ai eu droit à sa main sur mon épaule.
Il m'a considérée un instant en souriant, de ce sourire un peu cruel.
Regarde-toi, tu t'en es bien tirée, m'a-t-il dit. En fait, tu es bien plus maligne que je croyais. J'avoue que ça m'épate, quelquefois. Quand j'y pense. La façon dont tu as manœuvré. Mes compliments.
Je n'ai rien dit. J'ai baissé les yeux. Ses marques d'estime n'étaient pas monnaie courante. Je n'aurais pas eu la force de discuter.

En plein été, il a fallu arroser les animaux durant les heures les plus chaudes et parfois même à la tombée du soir et je m'arrêtais pour admirer le spectacle.
J'avais enfin compris pourquoi Yann avait voulu faire chambre à part. Je devais avaler des somnifères si je voulais dormir.
Quand il rentrait, Yann prenait Caroline dans ses bras et elle cessait de pleurer aussitôt. Il ne disait rien, mais je savais ce qu'il pensait. Il disait Myriam, tout va bien.
Or, je n'y arrivais pas. Quelque chose me manquait. Ce fameux instinct maternel, cette attirance naturelle que j'étais censée éprouver. Et j'étais si horrifiée, si honteuse de moi que je le cachais. C'était une vraie souffrance. Je devais me forcer avec elle, lui parler, la prendre, lui sourire quand je

n'en avais pas envie, c'était épouvantable. Elle me réveillait plusieurs fois pendant la nuit, comme pour se venger.
Mon père m'a appris que j'étais comme elle, que je passais mes nuits à réveiller toute la maison avec mes cris. J'étais venue lui rendre visite, lui apporter des biscuits et lui montrer des photos de sa petite-fille. Il faisait beau et froid. Parfois, il avait des moments de pure lucidité, il levait les yeux et entamait un discours cohérent, tout à fait clair, tout à fait surprenant.
Je ne sais pas quel démon t'habitait, a-t-il ajouté avant de regarder ailleurs.
J'en suis restée bouche bée. Tombant lourdement des nues.
J'avais pris la voiture de Yann et j'ai failli avoir un accident à un carrefour, tellement j'étais abasourdie. J'ai dû m'arrêter, le cœur battant, avant de reprendre ma route et finir dans les embouteillages à la tombée du soir, dans un brouillard givrant.
Elle gazouillait sur les genoux de son père, à mon arrivée. Je ne pouvais m'empêcher d'en vouloir à mon mari, je lui enviais cette relation qu'il avait avec elle, et je détestais l'air désolé qu'il me lançait, sa façon de savoir si bien s'y prendre, si facilement, qui m'humiliait.
Ne l'excite pas, j'ai dit.
Je suis allée me préparer tandis qu'il la rendait à la babysitter.
J'ai failli profiter du trajet pour lui parler de cette boule au fond ma gorge à la suite des révélations de mon père, puis j'ai abandonné. Je n'étais pas sûre de me sentir

mieux après. J'avais transformé les nuits de ma mère en cauchemars comme à présent ma fille pourrissait les miennes. Yann a cherché une place tandis qu'à ses côtés, avec peine, je déglutissais.
Je n'ai pas lancé un seul regard autour de moi — ma réputation du genre cyclothymique n'était plus à faire —, je suis allée directement au buffet, j'ai dit non, merci, je ne veux rien manger, je veux juste un grand verre de gin avec un doigt de soda.
Il y avait du monde. J'ai vidé mon verre sans attendre. Maria s'est manifestée à mes côtés et m'a demandé ce que j'avais. Un couple l'accompagnait. J'ai décoché quelques vagues sourires par-dessus son épaule. Rien d'important, j'ai dit avant de m'éloigner.
Je connaissais l'homme de vue, c'était un photographe qui travaillait quelquefois avec elle, de l'âge de mon père. La femme était plus jeune, peroxydée. Plus tard, comme j'étais sortie dans la rue pour fumer, il m'a rejointe.
Avec la nuit, le brouillard s'était épaissi et on n'y voyait rien à quelques mètres. Je n'étais pas parvenue à me sortir des affres où mon père m'avait plongée, j'étais juste un peu plus ivre, un peu plus cafardeuse. Je n'étais vraiment pas en état de bavarder avec lui.
Il habitait à cinq minutes.
Et il ne m'avait pas menti, je me suis aussitôt sentie mieux. J'ai eu l'impression de flotter. Je me suis laissée aller sur le lit, enfin débarrassée de ma douleur. J'étais bien. L'ombre se retirait. J'ai écrasé une larme pendant qu'il était sur moi.

Ça ne t'arrive jamais de participer, m'a-t-il demandé après avoir terminé son affaire.
Il m'a ramenée car je ne tenais pas bien sur mes jambes et ne savais pas trop où j'étais. Il m'a soutenue, fermement. Ma vision n'était pas très claire et j'entendais qu'il me parlait, sans comprendre ce qu'il me disait. Il m'a laissée devant l'entrée, appuyée au mur. Quand j'ai relevé la tête, il n'était plus là.
L'air froid m'a dévorée. C'était bon. Je suis retournée à l'intérieur et j'ai emporté quelques choux à la crème sur un canapé. Pourtant, je n'étais pas gourmande.
Avant de partir, sur le trottoir, dans le brouillard blanc pâle, Maria m'a serrée contre elle et m'a glissé à l'oreille est-ce que c'était si agréable que ça, ma chérie, et j'ai failli lui dire oui — mais nous ne parlions pas de la même chose.
Yann était à peine en état de conduire. Je m'en fichais. Ça n'avait pas d'importance. Il semblait heureux de tenir le volant et me demandait si je m'étais bien amusée. Parfois, des voitures nous klaxonnaient et il se tournait vers moi et me clignait de l'œil pour me rassurer.
Chloé, la baby-sitter, était endormie devant la télé, dans l'appartement silencieux. Yann l'a raccompagnée chez ses parents, quelques étages plus bas, tandis que j'entrais dans ma chambre sur la pointe des pieds, mes chaussures à la main.
Je me suis penchée au-dessus de son lit. Elle dormait comme un ange, les poings fermés. Je suis restée un moment à l'observer. Puis elle a soudain ouvert les yeux

et me voyant, sa figure s'est ratatinée comme une vieille pomme et elle s'est mise à hurler. Mais cette fois, ça ne m'a rien fait. J'ai continué à la considérer d'humeur égale en ajustant mes boules Quies.
Elle ne se comportait de cette manière qu'avec moi. Lorsque j'avais dit Nathan, je te présente Caroline, elle lui avait adressé un sourire éclatant — et Dieu sait que mon frère n'avait pas souvent l'air aimable — et Maria pouvait la prendre quand elle voulait ou même n'importe qui dans le parc, des mères — pour la plupart siphonnées, extatiques.
Lorsque tu en auras assez, lui ai-je déclaré, préviens-moi.
Quelques jours plus tard, j'ai repris contact avec le photographe. Un type sans intérêt, satisfait de lui. Dès que je pouvais, j'appelais un taxi, je ne restais pas.

Elle a fait ses premiers pas au printemps. Je n'étais pas là quand c'est arrivé — de sorte que ce n'est pas dans mes bras qu'elle a eu à se précipiter, mais dans ceux de Yann qui m'a donné tous les détails sur cet épisode admirable dont j'avais été exclue.
Je suis allée lui acheter un youpala en dépit du mal qu'on en disait, et pour une fois, elle ne m'a pas hurlé aux oreilles quand je l'ai prise pour l'installer dans son engin à roulettes. Je l'ai amenée sur la terrasse et j'ai laissé Chloé jouer avec elle.
J'avais tenté en vain d'interroger Nathan sur ma petite enfance, de lui tirer les vers du nez à propos de ce soi-disant calvaire que j'avais imposé à ma mère avec mes

braillements. Il refusait d'en parler. Il prétendait qu'il n'était pas là pour tenir les registres de la famille. Et lorsque je lui avais demandé s'il avait de ses nouvelles, s'il savait au moins où elle se trouvait, il m'avait fusillée du regard et avait balayé nos verres de la table avant de sortir du bar sans ajouter un mot.

Pendant que derrière la baie je regardais ma fille zigzaguer sur la terrasse, ravie de sa nouvelle acquisition, il m'a envoyé un message et nous nous sommes retrouvés au zoo juste avant la fermeture. Un attroupement s'était formé devant un jeune singe qui secouait ses barreaux en poussant des cris furieux. Je me suis installée sur notre banc habituel, au milieu des hortensias en fleur.

Nathan a jeté un coup d'œil autour de lui avant de s'asseoir. J'ai poussé le sac sous ses pieds. Il m'a dit écoute, je n'ai rien pour toi, cette fois-ci. Je me suis aussitôt penchée pour récupérer le sac et je me suis levée.

Très bien, a-t-il grogné. Calme-toi.

Il a sorti ce que j'attendais de sa poche et me l'a tendu en échange du sac. C'est un peu tard pour te soucier de ma santé, j'ai dit.

C'est jamais trop tard, m'a-t-il répondu.

Je l'ai suivi des yeux pendant qu'il s'éloignait sous les arbres. Au lieu de rentrer, j'ai tourné en rond jusqu'à la tombée du soir.

Je n'étais pas jalouse, sans doute, mais j'ai été sidérée en découvrant mon mari avec une jeune femme près de l'entrée de notre immeuble. Presque une fillette. Je me suis postée à l'abri d'une boîte aux lettres tandis qu'ils

s'embrassaient, serrés l'un contre l'autre, profitant de la pénombre.
À table, si je cherchais à lire sur son visage, il me souriait d'un air décontenancé. Caroline dormait dans sa chambre.
J'ai débarrassé pendant qu'il s'installait au salon, jambes croisées, avec de la lecture.
Qu'est-ce que tu vas faire de moi, j'ai demandé.
Il a levé les yeux, remonté ses lunettes sur son front. Les bras croisés, il m'a considérée avec insistance, une moue amusée aux lèvres. Ne sois pas bête, a-t-il fini par déclarer.
J'ai esquissé un sourire et j'ai tourné les talons. Je suis allée voir si Caroline dormait bien. J'étais soulagée. Il n'allait pas me jeter à la rue. Mais aussi, j'étais furieuse d'avoir eu cette réaction de mauviette. Au fond je ne changeais pas. Ma nature profonde ne changeait pas. Je suis restée un moment debout, dans l'obscurité de la chambre où luisait une veilleuse à tête de clown. Je me suis demandé si ma fille n'était pas devenue une sorte de garantie pour ma sécurité. Puis j'ai trouvé étrange de penser une telle chose.
Tu es la mère de son enfant, a déclaré Maria en s'asseyant sur mon lit. Que veux-tu qu'il t'arrive. Il donnerait ses deux bras pour toi.
Nous avions fumé à la fenêtre, la nuit noire avait une odeur de feuille tendre et de gingembre. J'ai fermé les yeux.
Elle était bien plus jeune que moi, j'ai dit.
Elle m'a fixé un instant, perplexe. Avant d'ajouter bien sûr.

Je prenais beaucoup de plaisir à me défoncer avec elle, à la regarder se renverser sur mon lit en jetant ses chaussures en l'air.

C'est bizarre, non, j'ai dit.

Oui et non. Tu n'as pas fini d'en voir, ma chérie.

J'espérais qu'elle se trompait. J'estimais en avoir assez vu. Certains soirs, par temps clair, je m'endormais avec le barrissement d'un éléphant ou le cri hystérique d'une grue.

Ça te gêne, m'a-t-elle demandé.

J'ai réfléchi.

Je ne sais pas, j'ai dit.

Tu n'y peux rien, a-t-elle déclaré en haussant les épaules. C'est Yann. Il est comme il est.

Je me suis tournée vers la fenêtre. Au loin, des feux alternaient à un croisement désert. Il était tard. Je suis allée me nicher sous son bras. Je n'ai pas envie d'en parler, j'ai ajouté.

Ça ne me plaisait pas beaucoup, à la réflexion. Je ne pouvais pas expliquer pourquoi. Je n'en faisais pas une maladie, mais j'y pensais.

J'ai revu cette fille, quelques jours plus tard. J'achetais du poisson. Je tenais Caroline par la main. La fille était avec un groupe d'adolescents, devant une boutique de maillots de bain et de serviettes-éponges.

Elle ne m'a pas vue. J'ai rangé mes courses dans le coffre et je suis rentrée. J'ai dit à ma fille arrête de hurler. Je l'ai tendue à Chloé. J'ai porté les sacs à la cuisine en marchant sur un tapis d'aiguilles de pin tièdes, mes sandales à la main.

Yann se tenait dehors, à l'ombre des arbres, les pieds presque dans l'eau. Il était en short, bronzé, torse nu, le téléphone collé à l'oreille. Il m'a adressé un signe.

J'ai baissé la tête et me suis occupée des provisions. Puis j'ai tout laissé tomber, je suis allée me promener. Il faisait chaud.

Je commençais à me détendre, à ralentir le pas lorsqu'il m'a rattrapée dans les sous-bois. Il avait couru. Il m'a dit Myriam, attends, laisse-moi reprendre mon souffle — sans me quitter du coin de l'œil.

J'ai patienté en ramassant une brindille.

Okay, je ne lui ai pas dit de venir, a-t-il soupiré. Je suis désolé. Ses parents ont loué une de ces maisons, je ne sais pas.

Je peux me renseigner, j'ai dit.

Il a grimacé un sourire. Il a pris ma main. Je l'ai retirée. Il est tombé à genoux en m'encerclant les jambes, le visage plaqué contre moi. C'était son habitude quand je finissais nue, qu'il tombait lourdement à mes pieds, je l'entendais grincer des dents, gémir, je sentais quelquefois ses larmes rouler sur mes cuisses avant qu'il ne se relève d'un bond et ne disparaisse de ma vue comme si l'air lui manquait. Je m'y étais accoutumée à la longue, je n'attendais plus grand-chose de ces démonstrations. J'ai étouffé un cri de surprise lorsqu'il a introduit un doigt dans ma culotte. Mon cœur a bondi.

Maria se demandait où nous étions passés. Elle avait

faim. Elle nous a regardés. J'étais encore si étonnée de ce qui était arrivé que je me suis assise à la table sans dire un mot.
Quelle belle journée, a déclaré Yann.
Il s'était abondamment excusé aussitôt la chose faite. Reprenant mes esprits, je lui avais répondu qu'il ne devait pas s'excuser mais plutôt m'aider à me relever et à m'épousseter. Il avait plus du double de mon âge et c'était moi qui avais dû lui expliquer que tout allait bien, que nous n'avions rien fait de mal, qu'il ne m'avait pas souillée, etc. J'avais soupiré oh arrête avec ça. J'avais failli ajouter je ne suis pas celle que tu crois, mais je ne m'étais pas lancée. Je n'étais pas du genre à compliquer une situation à plaisir.
Je suis allée me baigner, a dit Maria. L'eau était froide.

De fines vaguelettes clapotaient à quelques mètres, miroitaient. J'avais profité de l'aube, quand tout dormait encore autour de moi. La rosée étincelait sur les bruyères, les bois sortaient de l'ombre. J'avais fait de longues brasses silencieuses dans la pâleur du jour. Or j'avais à peine la peau rose en sortant.
Maria n'était pas dans son élément. Elle se plaignait d'à peu près tout depuis notre arrivée, de la température de l'eau, des insectes, de la morsure du soleil, du sable, des voisins, des couchers de soleil qu'ils applaudissaient comme au temps des hippies, des commerces qui se trouvaient au diable. Elle était intarissable sur le sujet. Souvent de mauvaise humeur, irritable. Quelquefois, elle sautait

dans sa voiture et retournait en ville, malgré deux heures de route, pour soi-disant ramasser son courrier et elle rentrait à la nuit, transfusée.

Je n'avais pas aussitôt compris qu'il y avait davantage que son peu de goût pour la nature qui la mettait dans cet état. Je m'en suis voulu. J'ai pensé que si j'avais fait preuve à son égard ne serait-ce que de la moitié de l'attention qu'elle me portait, je me serais sur-le-champ aperçue qu'elle était préoccupée.

À la fin du repas, elle s'est levée de table sans un mot et s'est retirée dans sa chambre.

Comme je la suivais des yeux, Yann a déclaré je crois que ton frère a recommencé ses conneries.

Je me suis tournée lentement vers lui.

Je pense que le mieux est de ne pas s'en mêler, a-t-il ajouté en se levant et s'avançant vers la rive réduite à un éclair de lumière.

Je ne savais pas si c'était bon pour mon cœur. Si ce n'était pas trop d'émotions pour la journée. Si c'était ça être étendue pour le compte.

Puis je suis partie à travers bois et dès que j'ai eu du réseau, j'ai dit à Nathan ils savent tout, tu m'entends.

Je sais, m'a-t-il répondu. Inutile de brailler.

Mais tu es dingue, j'ai dit.

Il a raccroché.

J'ai regardé l'appareil un moment, puis je me suis assise dans l'herbe. Les arbres autour de moi se sont mis à tourner.

Le soir, nous avions des invités et je suis allée voir Maria pour qu'elle me fasse un chignon.
Tu comptais attendre quoi pour m'en parler, j'ai demandé.
Je n'ai pas vu sa réaction car elle se tenait dans mon dos, occupée à brosser mes cheveux, mais elle s'est figée une seconde.
Il ne voulait pas que je t'en parle, a-t-elle fini par m'annoncer.
Mais tu es folle, j'ai dit.
Je n'arrivais pas à croire qu'ils l'avaient fait. Je suis sortie de sa chambre sans rien avoir démêlé des sentiments confus qui me traversaient. Je suis allée rejoindre un groupe qui se tenait à l'écart — je savais qui prenait quoi — et ils m'ont dit Myriam, à toi l'honneur. J'ai eu un sourire de reconnaissance avant de me pencher sur le miroir pour accomplir ma besogne.
Ce n'était sans doute pas le meilleur moyen pour y voir plus clair mais je me suis sentie mieux. Ne pas souffrir était déjà beaucoup. Je suis sortie des fourrés et me suis tenue sur la rive où luisait un pâle croissant de lune. Quelques adolescents se baignaient devant la maison tandis que les parents vidaient consciencieusement leurs verres et s'attardaient devant le buffet. Il faisait encore chaud. Chloé est venue me dire que Caroline dormait bien. J'ai hoché la tête. Je lui ai dit bois une coupe de champagne. Je ne dirai rien à tes parents.
J'ai joué un moment à l'hôtesse affable avant d'être trop défoncée, je me suis assurée que tout allait bien, j'ai bu quelques verres, j'ai gardé mes sandales à la main. Quand

je passais près de lui, Yann m'attrapait et me tenait un instant contre son épaule tout en poursuivant la discussion qu'il avait entamée. Je comprenais à présent pourquoi il ne voulait pas entendre parler de Nathan.

Maria ne s'est rapprochée de moi qu'au milieu de la nuit, choisissant un moment où l'on applaudissait Yann pour je ne sais quelle raison.

Ils ont dépassé je ne sais combien d'entrées, a-t-elle déclaré en s'installant près de moi.

J'ai dit ah bon.

J'avais passé un moment à observer les jeunes baigneurs, à les regarder s'amuser entre eux, pensant que j'avais vingt ans et ne faisais déjà plus partie de leur monde. Pas plus que je ne faisais partie de celui des autres, celui des vrais adultes. Je n'avais aucun rapport avec les gens de mon âge, garçon ou fille, je n'en connaissais pas un seul. Je ne savais même pas si leur monde existait.

Nous ne l'avons pas fait exprès, a-t-elle repris.

Je n'étais pas capable d'exprimer ce que je ressentais réellement — ne le sachant pas très bien, pour être franche.

N'en fais pas un drame, a-t-elle ajouté. C'est suffisamment difficile. Pour moi. Avec ton frère. Ce n'est pas de tout repos, tu sais.

J'ai dit ah bon. Ne viens pas pleurer.

Nous avons fumé une cigarette, fixant le ciel noir et les étoiles — la lune s'était engloutie derrière les bois.

L'expérience ne rend pas plus intelligent, a-t-elle déclaré. Je savais très bien ce qui m'attendait. Je m'y suis jetée les yeux fermés. Et maintenant ça.

Je lui ai jeté un coup d'œil, j'ai dit quoi, ça.
Ça, tout ça, m'a-t-elle répondu. Cet enfer qu'il me fait vivre. C'est un salaud, n'est-ce pas. Est-ce que tu le sais.
J'ai fini par lui demander si elle était amoureuse de lui. Elle m'a touché la main. Ne parle pas de ce que tu ne connais pas, ma chérie, a-t-elle soupiré en s'éloignant.
Elle n'avait pas tort sur ce point. J'avais également entendu parler de l'orgasme. Du rêve à l'état pur. Je ne pouvais m'empêcher de sourire quand je songeais à ces choses. De purs fantasmes.
Lorsque la soirée s'est terminée, une langue de brume flottait au-dessus de l'eau et Yann m'a annoncé qu'il raccompagnait un couple d'amis incapables de conduire. Il est rentré à l'aube, silencieux comme un chat, sans doute après avoir coupé son moteur à l'entrée du chemin car je n'avais rien entendu. Je ne dormais pas. Quelques oiseaux sillonnaient le ciel qui s'éclaircissait. Je me suis forcée à fermer les yeux.

Ça tombe bien que tu m'appelles, a dit Nathan. Je dois récupérer un de mes paquets.
Il faut qu'on parle, j'ai répété.
C'est souvent comme ça les filles, a-t-il ricané. Elles ont souvent envie de parler. C'est un besoin qu'elles ont.
Notre banc était occupé par deux adolescents qui s'embrassaient à pleine bouche. J'étais en avance. J'ai tourné un moment autour d'eux en espérant que je les dérangerais et qu'ils iraient poursuivre ailleurs leur baiser

dégoûtant — on aurait dit qu'ils se dévoraient l'un l'autre, on aurait dit une lutte —, mais ils n'ont pas bougé.
Je suis allée voir les serpents, les araignées, les scorpions, et à mon retour, ils étaient toujours là, leurs bouches collées, luisantes de salive. Je me suis assise à côté d'eux.
J'ai dit à Nathan assieds-toi, je pense qu'ils auront bientôt fini.
Je venais de faire deux heures de route, je n'avais rien mangé, l'air était chaud. Il a froncé les sourcils en considérant mes voisins qui essayaient sans doute de battre un de ces records insensés, puis il s'est mis à côté de moi et il m'a demandé sur un ton sarcastique comment se passaient les vacances.
Très bien, j'ai répondu. L'eau est super bonne.
Il s'est penché pour examiner les deux autres tout en me disant maintenant, vas-y, de quoi tu veux parler.
Je suis restée muette, sur le coup.
Écoute, je peux pas supporter ça, a-t-il repris. Tirons-nous.
Tu cherches quoi, j'ai demandé en le retenant par le bras. À quoi tu joues.
Il s'est tourné vers moi. Avec une moue, il m'a fait quoi, qu'est-ce que tu me racontes.
Ça me fait peur, j'ai dit.
Oui, mais tout te fait peur, j'ai l'impression.
Je me suis forcée à rester droite, à le regarder dans les yeux. J'ai fini par lâcher à qui la faute.
Il a éclaté de rire. Tu essaies de me flanquer ça sur le dos, c'est bien ça. Putain, c'est la meilleure.

Il s'est levé en riant. Je me suis levée à mon tour. Il est parti en riant. Par une espèce de miracle, le jeune type est parvenu à décoller sa bouche de sa compagne qui m'a jeté un regard noir.
On vous dérange ou quoi, a fait le collégien. On vous fait rire.
J'ai rattrapé Nathan devant les zèbres. Je m'arrêtais toujours pour les regarder. Caroline, qui ne quittait jamais son air renfrogné avec moi, se mettait toujours à sourire en les voyant et dans ces rares moments, je pouvais m'accroupir près d'elle et lui dire quelques mots, échanger n'importe quoi, sans qu'elle me repousse et je partageais enfin quelque chose avec elle, nous les trouvions tellement beaux, tellement sublimes, et je voyais le visage de ma fille comme je ne le voyais pas souvent, détendu, radieux, etc. Je n'étais jamais passée devant eux sans m'arrêter, impossible, mais cette fois Nathan marchait vite et je ne leur ai pas jeté un seul regard.
C'est trop facile, j'ai dit en restant à sa hauteur.
Oh écoute, m'a-t-il répondu tandis que nous descendions le parc dont les pelouses étaient jonchées de corps vautrés au soleil presque rouge, encore cuisant. On a tous nos problèmes, d'accord. Je vais te dire quelque chose.
À ce moment, nous sommes sortis du parc et nous avons continué au milieu du trottoir encombré de touristes, à l'heure des embouteillages, en pleine chaleur. J'ai passé tout l'hiver dehors, a-t-il repris sans ralentir l'allure. Quand il m'a fichu à la porte. J'ai failli mourir de froid.

J'ai dormi sur un banc durant tout un putain d'hiver, figure-toi. Et je viens pas pleurer.
Je me suis pincé les lèvres. Ça m'a brisé le cœur d'entendre ça.
Nous sommes descendus aux sous-sols. J'ai ouvert le box où Yann entreposait tout un tas de meubles, des tapis, une vieille Norton, des dossiers, des lampes, et j'ai regardé mon frère démonter la grille d'aération pour récupérer son sac. Il faisait frais, tout à coup. Après notre parcours sportif, j'ai frissonné. Je me suis sentie pleine d'affection pour lui. Je me suis sentie égoïste.
Je prends tout, a-t-il annoncé après avoir vérifié le contenu du sac. Je vais disparaître un moment.
Je suis restée figée dans la pénombre, au milieu de ce capharnaüm, blêmissante.
Ne fais pas cette tête, a-t-il ajouté en me tendant un sachet de poudre. Voilà. Tu en as pour un moment. Vas-y doucement.
Mes lèvres tremblaient. J'ai bégayé Nathan, tu t'en vas. J'ai vacillé, mais il n'a pas semblé s'en apercevoir.
Je te tiendrai au courant, a-t-il ajouté sans que je trouve le temps d'ouvrir la bouche, ni même la force de répondre au baiser dont il a effleuré ma joue en passant tandis que je regardais mes pieds.
Je n'ai rien dit à Maria. Lorsque je suis arrivée, à la nuit tombée, elle sortait de l'eau. Elle est froide, mais c'est ce qu'il y a de mieux à faire, non, m'a-t-elle déclaré.
Je n'ai pas réfléchi longtemps avant de me déshabiller. J'ai abandonné toutes mes affaires à mes pieds et je me

suis baignée à mon tour pendant qu'elle m'observait de la rive en se frictionnant la tête. J'ai fait la planche, bras et jambes écartés. Ce n'était pas facile d'oublier le poignard que Nathan m'avait enfoncé dans le cœur, mais je n'avais plus de larmes à verser sur mon sort et j'ai lâché prise, j'ai commencé à dériver comme une feuille.

Puis j'ai retrouvé Maria et nous nous sommes défoncées sur la plage minuscule dont le sable blanc scintillait sous la lune. Il était encore tiède, meilleur que tous les matelas possibles.

Ce n'était pas censé m'arriver, a-t-elle déclaré. C'est inimaginable. D'être aussi conne.

J'ai laissé du sable couler entre mes doigts en l'écoutant. Elle avait passé une journée épouvantable à espérer son appel et elle se méprisait de l'avoir fait. J'ai hoché la tête. Sinon, elle ne savait pas où était passé Yann. Sûrement avec cette fille, j'ai répondu sans trop savoir ce que ça signifiait. Lorsque nous ne parlions plus, on entendait des clapotis, des cris d'oiseaux, quelques bribes de musique lointaine.

Ton frère porte une carapace, a-t-elle repris. Rien ne le touche.

Je partageais son point de vue, mais je n'ai pas voulu en rajouter. Je ne voulais pas enfoncer Nathan.

Le lendemain, Caroline m'a réveillée en me fracassant une de ses poupées sur la figure. Elle m'a ouvert la lèvre. Nous nous sommes fixées un instant avant que je ne pousse un cri et que mon sang ne coule. Elle savait très bien ce qu'elle venait de faire. Son regard disait je l'ai fait exprès. Ou peut-être que j'étais folle. Je me suis levée d'un bond néanmoins. J'ai arraché la poupée des mains de ma fille et je l'ai jetée à travers la pièce. J'ai appelé Chloé. Je lui ai dit ce n'est rien mais sors Caroline de ma chambre. Je l'ai assez vue pour aujourd'hui. Laquelle Caroline s'est mise à hurler.

Mon père faisait ça. Quand il se coupait en se rasant, il appliquait sur sa blessure le premier petit bout de papier qui lui tombait sous la main — et il se promenait toute la matinée avec un confetti sanglant collé sur le visage. Je l'ai imité avec une pastille de kleenex qui s'est aussitôt teintée de rouge, on aurait dit le drapeau japonais, mais le sang ne coulait plus — je sentais par contre que ma lèvre avait gonflé.

Je suis sortie en clignant des yeux dans le soleil, d'un pas moyennement assuré. Je me suis assise devant Yann pour boire un café et je lui ai expliqué en deux mots la raison de ce truc sur ma lèvre.

Je pense qu'elle a voulu me réveiller, j'ai dit.

Il semblait fatigué. À son âge, les nuits blanches se faisaient sentir, les exercices creusaient les joues, il évitait de me regarder en face. Maria s'est arrêtée au milieu d'une brasse et nous a fait signe de loin, d'un geste lumineux, ruisselant.

On dirait qu'elle commence à aimer l'eau froide, a-t-il remarqué en agitant la main.

On va rire dans mon dos, j'ai fini par dire en fixant mon café noir.

J'ai senti qu'il se tournait vers moi mais je n'ai pas levé les yeux. Non, personne ne va rire dans ton dos, a-t-il dit. J'y veillerai. Ils savent que tu es ma femme.
J'ai allumé une cigarette. J'avais envie de mieux mais je venais de me lever — je n'en étais pas là, mais parfois le besoin de se défoncer était compréhensible. J'étais encore sous le coup de la décision de Nathan, elle me rendait nauséeuse. De vieilles blessures se rouvraient, d'anciennes douleurs se réveillaient, me glaçaient les os. Je ne pouvais pas croire que je l'avais de nouveau perdu.
C'est une plaisanterie, j'ai dit.
Quelle plaisanterie.
Quand tu dis que je suis ta femme, c'est une plaisanterie, non.
Il a souri — ce sourire dont il avait compris qu'il m'apaisait la plupart du temps, comme une main rassurante qu'on poserait sur la tête d'un chien. Il m'a répondu non, Myriam, pas du tout.
Je suis restée perplexe un instant puis je me suis levée sans ajouter un mot tandis que Caroline sortait de la maison et venait se jeter dans ses bras. J'ai fait ah ah, mais ils n'ont pas semblé entendre.
J'ai pris un livre et je suis allée m'installer sur l'appontement. Le bois était chaud. Maria s'est mise à nager vers moi et elle m'a invitée à la rejoindre.
Je lui ai annoncé que Nathan était parti. Elle a froncé les sourcils. Je ne pouvais plus garder ça pour moi. Le soleil irradiait, nous étions déjà sèches, nos maillots à peine humides. Elle a fait comment ça, parti.

En fin de matinée, nous étions devant sa porte. Je pensais que nous commettions une erreur mais Maria ne m'avait pas laissé d'autre choix que de l'accompagner — je pensais aussi, secrètement, qu'à deux nous aurions plus de chances de le retenir. Elle avait tenté de le joindre plusieurs fois sans succès pendant que nous étions en route. La sonnette de l'appartement vibrait à présent dans le vide.
Pour le coup, j'ai préféré ce silence lugubre à une scène avec lui sur le palier, lui aux prises avec deux folles.
Le concierge n'était au courant de rien. Si Nathan s'était déjà envolé, il n'avait pu le faire que durant la nuit et cette précipitation a augmenté mon malaise.
Dans quoi cet imbécile s'est-il fourré, a-t-elle lâché en marchant vers la voiture tandis que des types hilares nous sifflaient.
Je n'en savais pas plus qu'elle à propos des trafics auxquels Nathan se livrait. Aborder ce sujet avec lui mettait aussitôt fin à la conversation. Je crois que ça nous arrangeait, elle et moi. Avoir l'air maintenant de s'étonner ne rimait pas à grand-chose.
Je suis enceinte de lui, a-t-elle annoncé d'une voix blanche, au milieu des encombrements, alors que des images de bombardements défilaient sur un écran géant.
Je plaisante, a-t-elle fait en prenant les quais, le front soucieux, les jointures de ses mains sur le volant, blanches comme de l'os.
Je n'ai pas trouvé que la plaisanterie était fameuse. En tout cas, elle était édifiante. Je n'avais pas de raison par-

ticulière de rentrer le soir même, Yann et Caroline ne me manquaient pas à ce point. J'ai dit très bien et nous avons pris de nouveau la route pour voir mon père — le feuillage commençait à rougir sur les bas-côtés.

J'ai plus ou moins grimacé en me tenant devant lui. Je n'étais pas là pour lui rendre visite, je venais fouiller dans ses affaires, mais j'ai hésité sur le seuil en l'observant. Même sa chambre était d'une tristesse absolue. Il n'était pas tard mais le soleil n'entrait pas dans la cour aux murs borgnes dont la peinture des murs cloquait — et qui constituait le seul et unique paysage qu'on avait de sa fenêtre. Le linoléum était d'une couleur indéfinissable, proche de l'eau croupie. Et cette odeur mortifère d'eau de Javel qui émanait de son cabinet de toilette et me prenait à la gorge.

J'ai dit hello, papa, comment ça va.

Il était assis devant une table au plateau de formica bleu pâle, occupé à empiler des pièces de monnaie qu'il sortait d'un bocal. Il n'a pas tourné un seul regard vers moi, comme s'il ne m'avait pas entendue. Il était en pyjama, au milieu de l'après-midi, un pyjama infâme, trop grand pour lui. Il m'a fallu un moment avant de comprendre que c'était lui qui avait maigri. Il était hirsute — lui qui se préparait toujours avec un soin maniaque devant la glace.

Je me suis secouée. J'essayais de ne pas garder une trop mauvaise image de lui, mais chaque visite le trouvait un peu plus mal en point. De loin, cette dernière était la pire.

J'ai ouvert un tiroir de sa commode en disant je cherche mes clés, tu n'aurais pas vu mes clés, des fois.

Je ne savais pas s'il se souvenait de ce qu'il m'avait fait. Moi je m'en souvenais. Il n'y avait rien dans le tiroir, quelques papiers, quelques affaires en désordre. Où est ton téléphone, j'ai demandé en balayant la chambre du regard. Tu l'as changé de place.
Il s'est tourné vers moi pour me demander une cigarette.
Tu ne fumes pas, j'ai dit. J'ai besoin de ton téléphone.
Tu es comme ta mère, a-t-il déclaré.
J'ai exploré en vain sa penderie, sa valise, sa table de nuit tandis qu'il faisait le geste de fumer, aspirant le vide entre ses deux doigts pressés contre sa bouche. Je me suis alors approchée de lui et après une seconde d'hésitation durant laquelle j'ai pu sentir son odeur aigre, médicamenteuse, j'ai prestement plongé la main dans sa poche de veste et j'ai saisi l'appareil avant qu'il ne réagisse. Je me suis mise hors de sa portée pour voir si Nathan ne lui avait pas envoyé de message.
Il est à moi ce téléphone, a grondé mon père en s'écartant brusquement de sa chaise, provoquant ainsi l'effondrement des piles de pièces en équilibre qui dégringolaient de la table avec un bruit de crécelle.
Il a eu l'air désemparé. C'est rien, j'ai dit. Je vais ramasser.
Plus tard, je me suis effondrée sur le canapé de mon salon. J'ai mis le téléphone de mon père à recharger et je suis partie dans les vapes — quand Maria, de son côté, avait préféré la terrasse, à la tombée du soir, pour planer dans un fauteuil à bascule.
Il faisait nuit noire lorsque j'ai ouvert les yeux. Le téléphone de mon père était allumé, l'écran projetait une

lueur bleue dans la pièce. Il s'agissait d'un site pornographique proposant à mon père un abonnement à prix réduit avec une montre en cadeau, et une tablette s'il se décidait dans les trois jours. Ce n'était pas ce que j'espérais, mais j'étais persuadée que Nathan lui donnerait signe de vie. Au moins à lui. J'avais remarqué le changement dans leur relation à mesure que nous lui rendions visite — quant à moi, j'avais l'impression qu'il me détestait davantage, que l'apaisement qui s'installait entre eux attisait son ressentiment à mon égard, ce que je trouvais particulièrement injuste.
Je me suis mordu les lèvres, puis j'ai tapé quelques mots — le téléphone de mon père était encore un de ces vieux appareils à touches, très chiant — j'ai écrit tu viens quand. De son côté, Nathan se plaignait — mais je n'étais pas dupe — des messages que celui-ci lui envoyait, il me disait nom de Dieu, regarde-moi ça, la pression qu'il me met, comme si je pouvais passer mon temps à venir le voir.
Je me suis mordu les lèvres avant de me décider. Maria et moi étions résolues à attendre que Nathan se manifeste, mais il faisait encore nuit, tout était silencieux, rien ne bougeait. J'ai cliqué sur envoi.
La réponse de Nathan est arrivée en fin d'après-midi. Je regardais un pygargue à tête blanche s'ébouriffer sur son perchoir en mangeant une glace — la première chose que j'avalais depuis deux jours.
Ça fait loin, j'ai dit.
Maria n'a rien répondu, elle a hoché vaguement la tête. Nous nous étions retrouvées dans un bar, à deux pas des

bureaux de son magazine, et son regard a flotté un moment au-dessus de moi tandis qu'elle se touchait les lèvres d'un doigt tremblant.
Au moins, nous savons où il est, a-t-elle fini par soupirer.
Il en aurait fallu davantage pour sauver la fin de nos vacances — d'autant que ma réserve menaçait de s'éteindre. Quelques orages ont fait leur apparition et certaines soirées se sont terminées sous une pluie battante, tout le monde entassé à l'intérieur, chemises trempées, robes et autres collés à la peau. Chacun pensait déjà au retour, impatient de retrouver la ville. Un soir, je me suis donnée à l'animateur d'une chaîne câblée sans même savoir ce que je faisais. Nous n'avions aucune nouvelle de Nathan et je buvais aussi un peu trop quelquefois. Il m'a prise contre un arbre où se balançait un lampion éteint. Et ensuite Maria m'a reproché d'avoir fait ça, elle m'a déclaré que la pente était glissante.
Tu n'es pas à ma place, j'ai dit.
J'ai ajouté, en croisant son regard, en agitant un sachet de poudre sous son nez, je ne suis pas la seule à en profiter, non.
Et pour finir, le dernier soir, j'ai mis mon poing dans la figure de cette fille. Je ne sais pas ce qui m'a pris, ni même d'où m'est venue cette maîtrise naturelle du direct à la mâchoire que je mettais en pratique pour la première fois de ma vie. Je ne l'ai pas mise K.O., bien sûr. Je n'avais pas un maillet à la place du poing. Mais elle est partie à la renverse et il me semble bien qu'elle a failli tourner de l'œil durant une seconde. Je n'avais pas eu besoin de rai-

son particulière pour la frapper, sinon que je la trouvais devant moi, et que j'en avais assez.
La surprise et la douleur se mélangeaient sur son visage défait. Elle paraissait si jeune — ce qui m'a valu quelques regards désapprobateurs et d'aucuns se sont précipités pour la relever, cette pauvre enfant.
Rentre chez toi, j'ai dit.
Je suis allée me tremper les pieds dans l'eau. La main aussi. Une bonne part de la tension qui m'habitait depuis des jours s'était envolée. J'ai laissé la douceur de la nuit, légèrement épicée, m'envahir, puis Yann s'est posté à côté de moi. Regardant au loin, les bras croisés, il m'a dit je vois que tu fais des progrès.
J'ai levé les yeux sur lui, me demandant s'il était sérieux.
Je crois que si j'étais toi, j'aurais fait la même chose, a-t-il ajouté. Mais ne recommence pas.
C'est parti tout seul, j'ai répliqué.
Il a tourné la tête vers moi et m'a fixée du coin de l'œil.
Je n'ai pas cillé. De ce point de vue, il me semblait, à moi aussi, que j'avais progressé.

J'ai failli mourir, cet hiver-là, j'ai failli me jeter du haut de ma terrasse. Tout allait de mal en pis depuis la fin de l'été.
Je me défonçais trop, je le savais, mais je ne connaissais pas d'autre moyen. Lorsque j'ai mis le feu au matelas de Caroline, je venais d'apprendre que ma mère avait appelé le centre pour demander des nouvelles de mon père. Je me suis à moitié endormie contre les barreaux du lit de ma

fille alors qu'elle était rouge de fièvre et que j'étais censée m'occuper d'elle. Je n'avais pas eu la moindre nouvelle de ma mère depuis seize ans. J'aurais voulu pouvoir m'enfoncer la tête dans un seau de charbon. Quoi qu'il en soit, j'ai accusé le coup concernant Caroline, j'ai réellement eu honte de moi et le regard que Yann m'a adressé alors qu'il la serrait dans ses bras et que je tenais à peine sur mes jambes, avec un air halluciné, est resté cloué au fond de ma poitrine.

Un froid glacial s'est abattu ensuite et la plupart des animaux sont rentrés dans leurs abris et le zoo n'a plus guère compté de visiteurs. La nuit tombait rapidement, le vent soufflait sans interruption, des jets de vapeur blanche jaillissaient de leurs naseaux. Tout allait si vite que le monde semblait immobile. Dans un galop démesuré, suspendu.

Elle m'a appelé d'une cabine, m'a expliqué Nathan. Elle veut vendre la maison.

J'ai changé mon téléphone de main pour continuer à servir la soupe aux pois fumante dans les assiettes que l'on me tendait. On a besoin de ton accord, a-t-il ajouté.

Puis il s'est tu.

Et alors, j'ai insisté. C'est tout ce qu'elle a dit. Où elle est.

Il a ricané. Il a dit je vois de charmantes scènes en perspective. Ça va être quelque chose.

J'ai coupé la conversation. J'ai levé les yeux sur ces gens qui attendaient leur tour, dans le froid, et dont la file s'étirait jusque devant l'église. L'exercice n'était pas nouveau pour moi. Lors des fêtes de fin d'année, mon père m'emmenait pour distribuer des couvertures, du café, des repas, des biscuits, mais je ne regardais pas vraiment, je ne voyais pas les gens. J'aidais aussi à préparer des sandwiches. Mon père disait qu'on avait ainsi l'assurance de faire au moins une bonne action dans l'année et que le Ciel nous le rendrait.

Je suis rentrée frigorifiée. Yann a levé les yeux de son écran et m'a souri une seconde. J'ai suspendu mon manteau, j'ai ôté mes bottes. J'ai frissonné.

Tu vas finir par attraper mal, m'a-t-il dit.

Je n'ai rien répondu. Je suis revenue de la cuisine en mangeant un reste de bouillie chocolatée et je l'ai observé un instant avant de lui annoncer que ma mère avait réapparu.

Il a levé de nouveau les yeux sur moi, plus lentement, les plissant cette fois. Je me suis aperçue que j'étais en larmes.

Nathan m'a rappelée le lendemain soir, il m'a reparlé de la vente de la maison, de la fin de ses ennuis dès qu'il aurait touché sa part.

C'est censé m'attendrir, j'ai demandé.

Je ne savais pas s'il avait conscience que nous ne nous étions pas vus depuis des mois et qu'il m'avait laissée sans nouvelles.

Je ne devais pas avoir grand-chose à raconter, a-t-il déclaré. Ça doit être ça.

Sûrement, j'ai opiné.

C'est quoi ce que j'entends, a-t-il demandé.

Je sers de la soupe, j'ai dit.

Quoi, tu as rempilé dans ce truc, s'est-il esclaffé. Je le crois pas.
J'ai repris ma distribution avec un sourire forcé, les pieds totalement gelés et la tête en feu sous les parasols chauffants. J'entendais raconter autour de moi que des gens étaient morts de froid, qu'en amont le fleuve était gelé, que des forêts entières se brisaient comme du verre. Certains faisaient la queue une deuxième fois en jouant des coudes.
Je suis allée m'asseoir dans l'église pendant ma pause. Il n'y avait personne, le silence régnait. J'ai retiré mes bottes et me suis frictionné les pieds.
J'ai observé une femme qui s'avançait vers moi dans la travée. Du fait de la pénombre, de la lueur incertaine des cierges, je ne l'ai pas reconnue aussitôt.
Le contraire m'aurait surprise, a-t-elle admis à voix basse. Je ne te dérange pas, j'espère.
J'ai remis mes bottes. Non, vous me dérangez pas du tout, j'ai dit sans la regarder. Vous inquiétez pas pour ça.
Je me suis levée et je suis sortie sans attendre. Le froid m'a giflée. J'ai inspiré profondément et j'ai regagné mon stand. J'ai repris mon sourire. Mais j'ai eu beau la chercher des yeux jusqu'à la fin, me dresser sur la pointe des pieds, me tordre le cou, elle avait disparu.
Elle m'attendait dans sa voiture, garée un peu plus loin. Le moteur tournait. Quand je suis passée à sa hauteur, elle a baissé sa vitre et m'a dit monte, s'il te plaît.
Je me suis arrêtée et je me suis penchée vers elle. Merci, j'ai dit, mais j'habite tout près.

Myriam. S'il te plaît. Monte dans cette voiture.
Je crois que j'ai envie de vomir, j'ai dit.
Allons, ne fais pas l'enfant.
Je me suis redressée. Il était déjà tard. L'air glacé aiguisait les angles, rendait les contours tranchants. Mon nez coulait. J'ai fait le tour pour la rejoindre mais je me suis assise à l'arrière afin de la voir dans son rétroviseur.
Écoute, m'a-t-elle annoncé, je n'ai pas envie d'avoir ce genre de conversation. C'est épuisant. Le passé est épuisant.
J'aurais juré reconnaître son parfum tellement j'étais idiote.
C'est tout ce que vous aviez à me dire, j'ai demandé.
Elle s'est tournée vers moi. J'ai aussitôt mis la main sur la poignée de ma portière. Elle a marqué un instant d'arrêt, puis elle m'a dit tu sais, j'aimerais que nous partions sur de bonnes bases.
Je ne possédais aucune photo d'elle. Sur la seule que je connaissais — et que mon père avait détruite ou subtilisée et cachée je ne savais où — elle avait environ mon âge, elle était enceinte de Nathan, elle rayonnait, elle avait de magnifiques cheveux blonds.
Elle les a saisis — j'étais à cet instant très curieuse de savoir comment nous allions partir sur de bonnes bases, j'étais curieuse d'entendre ça — et sans un mot elle les a fait glisser de son crâne — chauve, lisse et luisant comme de la porcelaine — avec un sourire étrange.
C'était tout ce qu'il fallait pour noyer le feu qui me consumait. En rentrant chez moi, tandis que l'ascenseur

s'élevait en sifflant, j'aurais bien pris place à bord d'une fusée. Il était tard, j'étais épuisée, Yann ne dormait pas.
Eh bien, ils étaient affamés, ce soir, m'a-t-il lancé pendant que je restais un instant le dos collé à la porte.
Laisse-les vendre cette maison, m'a-t-il conseillé pour finir.
Il m'avait servi un verre et s'était installé à côté de moi. Il m'a effleuré la main avant d'ajouter que j'avais une fille et un mari, à présent. J'ai retenu un gémissement, ainsi qu'une grimace. De quoi voulait-il parler, au juste — à quoi pensait-il faire allusion. Je me suis penchée pour prendre un chocolat.
Elle va mourir, j'ai dit.
Au bout d'une minute, il m'a demandé si je n'avais pas faim.
Non. Pas vraiment.
Tu ne manges rien. Tu devrais ralentir avec le reste et faire de vrais repas. Tu es blanche comme un linge.
C'est dû au froid. À la mort. D'abord, je hais l'hiver. Je voudrais que tu voies ces gens, dehors.
J'étais jeune, perturbée, impressionnable, mais je n'étais pas complètement niaise. Il s'agissait de la maison, et de rien d'autre, même s'ils juraient par tous les dieux du contraire. Leurs amabilités, leurs sourires. J'en voulais en particulier à Nathan de jouer ce jeu avec moi — d'autant qu'il n'hésitait plus à sauter dans un train, à présent, pour me faire du charme. J'en avais de la peine pour lui. Je ne savais pas s'il sentait la déception qu'il me causait.

Si tu le fais pas pour moi, fais-le pour maman, a-t-il déclaré.
Je me suis raidie. Comment peux-tu l'appeler maman, j'ai grincé. Ça me dépasse.
Son agacement n'a duré qu'un instant. Il a souri en demandant si ça aurait dû lui écorcher la bouche et si je voyais comment l'appeler autrement.
Souvent, lorsque j'avais quelque chose d'important à dire, les mots ne venaient pas, ils restaient bloqués dans ma gorge comme des cotons-tiges enchevêtrés dans un siphon.
Quant à elle, quant à ses discours sur le temps qu'il lui restait à vivre — sans jamais s'inquiéter de celui que j'avais perdu à m'abrutir de son absence —, j'en sortais presque malade. Et sa main sur la mienne — même si ce n'était que pour payer nos consommations, pour m'inviter —, j'en avais encore des frissons glacés.
Ils me tuaient, tous les deux. Si je n'avais pas trouvé de quoi me détendre en rentrant chez moi — dépitée, désemparée, affaiblie après avoir passé la moitié de la nuit à servir du potage en plein vent —, j'en aurais pleuré de chagrin.
J'ai failli en voir la fin au terme d'une distribution de bouillon de poule qui s'est mis à figer sous mes yeux dans la marmite à la suite d'une panne de gaz dont on m'a tenue responsable. Un couple, en particulier, d'allure austère — la femme confectionnait d'horribles gâteaux de la taille d'une roue de bicyclette — et qui semblait m'avoir à l'œil pour une raison quelconque.

Ça, il fallait s'y attendre, a grimacé la femme.
Un peu plus tôt, dans l'après-midi, ma mère avait fini par admettre que j'avais été une enfant insupportable. Mais ce n'est pas à cause de ça, avait-elle ajouté. Ne te mets pas martel en tête.
Le marchand de glaces était devenu marchand de marrons mais je n'ai pas pu en avaler un seul. Ma mère s'est chargée de vider le cornet tandis que nous déambulions, le dos au vent, entre les enclos plus ou moins vides — en dehors du léopard des neiges qui semblait tout à fait satisfait de la température et déambulait lui aussi.
On ne pourrait pas trouver un autre endroit pour se voir, m'a-t-elle demandé. Que ce zoo lugubre.
Alors c'est quoi, si c'est pas à cause de ça, j'ai insisté.
Elle m'a jeté un regard et m'a demandé si je changeais de sujet de temps en temps, si je pensais à autre chose quelquefois.
Je me suis arrêtée. À quoi voulez-vous que je pense, j'ai lancé. À quoi d'autre, à votre avis.
J'ai allumé une Camel d'une main tremblante malgré l'interdiction de fumer. Avec un sourire, elle a glissé son bras sous le mien et nous avons repris notre marche. J'ai besoin de cet argent, m'a-t-elle dit. Ton frère aussi. Ne nous fais pas attendre trop longtemps.
Et à présent cette sombre femme, cette panne de gaz, cette nuit affreuse. Je ne savais pas si ma mère se rendait compte du mal qu'elle m'avait fait — et non seulement aucune de nos rencontres ne m'apportait la réponse mais chacune d'elles semblait creuser davantage le sol sous

mes pieds. Et maintenant cette femme qui me fusillait du regard pour une histoire de bouteille de gaz, ces gens qui commençaient à s'impatienter dans l'air glacé, cette odeur de bouillon, cette nuit sans lune, cette aigreur. J'ai enlevé mon tablier, j'ai tout laissé en plan.

J'allais finir en vraie junkie si je continuais à ce rythme, mais j'avais d'autres soucis pour le moment — et même un cafard de tous les diables quand je suis rentrée. L'appartement était sombre et silencieux. Je suis allée directement dans ma chambre pour me défoncer, sans prendre la peine d'ôter mon manteau.

Après quoi, je suis restée un moment immobile, assise devant ma table de nuit, à me triturer les mains, puis je me suis levée. Je suis retombée aussitôt assise, étourdie par la poudre.

J'ai quitté ma chambre d'un pas incertain, tâtonnant dans l'obscurité, la tête en feu. Je me suis servi un verre de brandy avant d'aller m'aérer sur la terrasse.

Des paillettes de givre scintillaient dans le vide, tourbillonnaient dans l'air vif au-dessus de l'avenue déserte. Je me suis tenue à la rambarde pour une question d'équilibre mais c'était de découragement que je chavirais, d'arpenter un tel désert — dans quelque direction que ce soit. Tout ce que je touchais s'effondrait comme du sable entre mes doigts. J'ai allumé une cigarette. Il y avait pire que la douleur de la séparation. Il y avait la douleur du retour, des rêves brisés.

J'ai terminé mon brandy et le verre m'a échappé des mains, s'est fracassé sur le sol dans un tintement de

clochettes. J'ai ri bêtement. Je titubais. Le monde tanguait autour de moi mais je ne sentais plus rien, je ne désirais plus rien. Des larmes de froid coulaient sur mes joues. J'ai eu l'impression d'être déjà morte, de me dissoudre, et j'ai ricané encore un instant au milieu de cette ronde infernale. J'ai fermé les yeux, de guerre lasse.
Durant une seconde, j'ai cru que je venais de m'effondrer lourdement sur la terrasse — alors que j'étais passée par-dessus bord et avais atterri sur le balcon du dessous. Reprenant mes esprits, je me suis relevée tant bien que mal après un coup d'œil au store plié en deux qui avait amorti ma chute.
Plus tard, je me suis demandé s'ils n'auraient pas tous préféré que je tombe douze étages plus bas.

J'ai averti ma mère et Nathan que je voulais une plus grosse part que la leur sur la vente de la maison. Je les ai laissés s'étrangler. J'ai ajouté que ce n'était que justice, de mon point de vue, sinon je ne signais rien. Je les ai laissés s'étrangler. J'ai adoré les grognements sourds de mon frère, les mâchoires serrées de ma mère, la veine qui palpitait à sa tempe. Je devenais soudain l'objet de toute leur attention.
Un midi, elle m'a invitée à déjeuner chez elle. C'était la première fois, elle se décidait enfin. Un peu tard, mais tout de même. J'étais curieuse. Je n'attendais plus de miracles, je n'essayais plus rien avec elle, si bien que je suis arrivée les mains vides — ni chocolats ni fleurs. Les épreuves de l'hiver m'avaient aguerrie, j'avais pris du recul.

Je me suis garée devant un petit immeuble moderne, à l'autre bout de la ville. J'avais toujours imaginé ma mère habitant un palais, qu'elle nous avait quittés pour mener une existence de reine.
Je n'ai pas ton train de vie, a-t-elle déclaré en soupirant. Je voulais que tu t'en rendes compte.
Ça sent bon, j'ai dit.
Elle a sorti ses médicaments. Je n'y ai pas prêté attention.
Je ne te demande pas de me pardonner, a-t-elle poursuivi. Tu n'étais pas à ma place.
J'ai demandé où étaient les toilettes. J'en suis ressortie, après un sniff rapide sur le dos de la main, beaucoup mieux armée pour la suite. Je pense qu'elle m'avait chanté sur tous les tons qu'elle ne se sentait pas coupable. Je ne la croyais pas. Je la regardais droit dans les yeux mais elle ne cillait pas. Il y avait quelque chose qui ressemblait à de la pierre, chez cette femme. Quelque chose d'un alliage que je ne pouvais pas percer.
J'en avais plus ou moins pris mon parti, mais je frémissais encore à l'entendre. L'envie de me jeter à son cou m'avait passé mais elle avait encore le don de me déprimer.
Elle m'a servi une tomate farcie. Le plat fumait entre ses mains munies de gants isothermes à fleurs. Elle ne l'avait pas préparé. Elle avait toujours eu horreur de cuisiner. Elle l'avait commandé.
On aurait pu faire des spaghettis, j'ai dit.
Elle m'a fixée un instant avant de poser le plat en pyrex.

Elle portait un turban, également fleuri, qui lui allait mieux que sa perruque mais lui donnait un air plus sévère.
Tu sais, a-t-elle déclaré en se servant à son tour, j'ai connu quelques hommes après ton père. Je leur ai donné à chacun plusieurs années de ma vie, et voilà tout ce qu'ils m'ont laissé.
Elle a eu un geste vague. Je ne savais pas trop ce que ça représentait et je m'en fichais.
Ton père a eu la meilleure part. Objectivement. Je ne mérite pas moins que toi.
Je la regardais et j'avais l'impression d'être dans une balle de coton. J'étais totalement indifférente. Ma mère était sans doute capable de saccager une belle matinée de printemps, mais cette fois, elle n'avait aucun pouvoir. Elle ne parvenait même pas à m'attendrir.
C'est à prendre ou à laisser, j'ai dit en chipotant la tomate du bout de ma fourchette. C'est chacun pour soi, non.
Elle a sifflé entre ses dents, ou je me trompais. Je continuais à regarder ailleurs, cherchant quelque chose, un détail qui m'aurait consumée, mais je ne remarquais rien, pas l'ombre d'un portrait, pas une seule trace dans son mobilier qui aurait pu faire le lien avec le passé, j'entends avec cette époque où nous avions vécu ensemble, où j'étais encore une petite fille, elle n'avait rien gardé, semblait-il, et j'imaginais, pas même mes dents de lait.
Après la tomate, à la place du dessert, nous sommes allées dans un square et nous avons regardé les pigeons. Elle n'avait pas desserré les dents durant tout le chemin — je ne l'avais pas aidée à faire la vaisselle, je l'avais

regardée faire, je n'étais pas défoncée au point de résister au plaisir de ne pas lever le petit doigt, de la voir enfiler ses gants de caoutchouc avec une grimace. Parfois, je me demandais si elle n'avait pas envie de me gifler, je voyais un éclat briller dans son regard mais elle changeait d'avis, elle avait besoin de moi, de ma signature, je lui aurais presque tendu la joue.

Elle m'a secouée. Tu m'écoutes, Myriam.

Myriam observait un merle noir qui d'un coup de bec soulevait des feuilles mortes et les balançait à droite et à gauche des fois qu'un insecte, ou Myriam ne savait trop quoi, se soit planqué dessous.

J'ai dit regardez-moi ça, regardez comme c'est dingue. Comme il s'y prend.

Cesse de faire l'idiote, m'a-t-elle dit. Je ne plaisante pas. Je vais bientôt mourir.

Je sais. Ne me répétez pas ça à chaque fois. S'il vous plaît.

Pourrais-tu ôter tes lunettes de soleil. Que je voie tes yeux.

Non, trop de lumière. Ça me fait pleurer.

Tu n'as pas besoin de cet argent. Moi oui. Je ne veux pas finir ma vie dans ce fichu deux-pièces. C'est mon droit, non.

J'ai vaguement opiné. J'ai ajouté c'est pourtant mignon chez vous.

Le quartier était lumineux en ce début d'après-midi, chaud et silencieux. Sans doute assez désert, assez dépourvu de charme. Elle m'a considérée en se pinçant les lèvres.

Est-ce que c'est pour ça. Est-ce que c'est pour me punir, a-t-elle fini par déclarer d'une voix sourde.
Vous punir de quoi, j'ai dit. De quoi je vous punirais.
Son regard a vacillé un dixième de seconde. Ne me demande pas pourquoi, a-t-elle repris en écartant l'air du revers de la main. Je te l'ai dit, je n'en sais rien. Je ne sais pas. Je ne pouvais pas faire autrement. Ça ne peut pas s'expliquer.
J'ai vaguement opiné. La poudre insensibilisait. Le soleil filtrait à travers le feuillage vert vif. Je vous ai détestée pendant longtemps, j'ai dit. Ça m'a usée.
C'était une femme étrange, d'allure un peu guindée, distante, et son regard brillait d'un éclat noir. Ça veut dire quoi ça m'a usée, a-t-elle répliqué.
Je me suis levée, j'ai dit allons manger une glace.
Elle m'a retenue par la manche. Je suis fatiguée, en ce moment, a-t-elle soupiré. Ça ne se voit pas.
Si, ça se voit, j'ai dit.

J'ai fini par mettre le feu à la maison. Et nous n'avons pas tiré beaucoup du terrain, mais j'ai appris qu'elle était envahie de termites et qu'elle aurait fini en poussière, d'une manière ou d'une autre — ce qui n'a consolé ni ma mère ni Nathan en l'occurrence.
L'automne était précoce, d'une température accablante après un été contrarié et pluvieux durant lequel aucune catastrophe naturelle n'avait épargné les continents. Il soufflait parfois un vent chaud qui desséchait tout, qui étourdissait. L'arrosage automatique parvenait à peine à

maintenir un semblant de vie dans les jardinières et les animaux du zoo étaient amorphes ou agressifs. Depuis ma chute du balcon qui avait semé l'épouvante et l'incrédulité autour de moi, Yann faisait en sorte de ne plus me laisser seule avec Caroline, ce qui me permettait de me défoncer plus tranquillement et d'aller les voir dans leurs cages aux barreaux brûlants, presque tous les jours, quand je ne rendais pas visite à mon père qui déclinait à vue d'œil et que j'en profitais pour faire un tour à la maison — nous avions déjà quelques propositions et je savais que le jour approchait où je ne pourrais plus y mettre les pieds. Nathan et ma mère continuaient de me harceler pour que je revienne sur mes délirantes prétentions mais je ne lâchais rien, c'était la moitié ou rien, je leur tenais tête alors que je me fichais de l'argent, je voulais qu'ils se souviennent qu'ils m'avaient tourné le dos et n'avaient pas manifesté le moindre remords. Tu as tout à fait raison, m'encourageait Maria. Tout à fait raison, ma chérie.
J'étais fatiguée de leurs simagrées, de leurs cajoleries sans âme, de leurs misérables agacements, je traversais une période où plus rien ne me touchait vraiment, je traversais les jours comme une automate, j'essayais de me satisfaire d'un minimum, d'un simple rayon de soleil, de quelque roman, de quelques prises dans la journée, d'un peu d'argent pour une place de cinéma, dans une salle climatisée — quant aux soirées je ne voyais rien, je me laissais flotter comme une coquille vide, j'embrassais des gens, je bredouillais, je suçais des sorbets Mojito sur la terrasse, je me tenais près des ventilateurs, absolument barrée,

fermant les yeux sur un morceau de Blind Willie Johnson tandis qu'un air brûlant ululait en sourdine en remontant l'avenue. Souvent, je finissais ivre, je ne me souvenais plus de rien. Yann me conduisait à ma chambre, me couchait, et au matin je me réveillais poisseuse et nue sur mon lit, la tête lourde, les seins meurtris.
Je ne savais pas ce qu'il fabriquait avec mes seins. Lui aussi m'énervait. Caroline aussi m'énervait. Ils m'énervaient tous les deux. Je me sentais irritable.
Le seul endroit qui m'apaisait était la maison, le calme des bois environnants. Mais surtout l'intérieur de la maison, l'odeur des pièces que je reconnaissais à la seconde bien qu'elle fût beaucoup moins nette, la lumière du jour qui glissait d'une fenêtre à l'autre, le plancher qui grinçait dans le milieu du salon, même si personne ne marchait dessus. Je n'y avais pas coulé des jours particulièrement heureux mais les dernières années que j'y avais passées seule avec mon père me revenaient avec un goût de torpeur tranquille, d'anesthésie qui me manquait plus que jamais cet automne-là. J'y restais parfois l'après-midi entier, je coupais mon téléphone, je fumais, je somnolais, je divaguais, j'attendais que mon père pousse la porte et vienne m'embrasser sur le front après un regard bienveillant.
La bataille que me livraient ma mère et Nathan concernant la vente m'exaspérait en plus de m'épuiser. Ma mère tournait autour de moi tandis que Nathan me prenait de face et finissait en poussant des cris qui résonnaient encore quand j'étais à cent mètres, avec des gens en arrêt sur le trottoir qui observaient la scène.

Tu vas passer ta vie à faire chier le monde, m'a-t-il demandé l'air mauvais en me saisissant le poignet. Je n'avais pas sa force mais je lui ai conseillé de me lâcher. Tu devrais te voir, j'ai ajouté.
Notre père a levé les yeux sur nous. Il n'avait sans doute pas compris un seul mot de notre échange mais il en avait saisi la dureté et nous a gratifiés d'une grimace.
Il faisait si chaud que j'ai pris mon brumisateur et l'ai aspergé de vapeur d'eau sans qu'il ne bronche — une infirmière sur le perron a hoché la tête pour approuver mon geste. Nathan me regardait.
Et alors quoi, j'ai dit.
Il a ricané. Ma vieille, c'est tes oignons, après tout.
Mon père a fait le geste de fumer. On aurait dit un vieux singe décharné dans un minable numéro de cirque.
Nous lui rendions visite plus régulièrement à mesure qu'il s'enfonçait dans l'obscurité. Ma mère ne s'approchait jamais de lui, elle se tenait à l'écart, à distance respectable, comme s'il était contagieux. Elle n'avait pas envie de le revoir, elle n'avait pas donné d'autre explication, et j'avais trouvé que c'était un peu juste, un peu vague pour justifier sa conduite, mais ma mère n'avait pas pour habitude de se justifier, j'avais fini par le comprendre.
Nathan est allé la rejoindre dans l'ombre d'un tilleul d'où elle nous observait en s'éventant d'un magazine. J'ai tendu une cigarette à mon père qui ne fumait plus depuis longtemps. On voyait au premier coup d'œil que ma mère et lui n'avaient pas été faits pour vivre ensemble et j'étais le résultat de cette union, Nathan et moi étions les héritiers

de cet invraisemblable attelage. Il ne fallait pas s'étonner. De tout ce qui arrivait.
J'ai été de nouveau frappée par la totale absence d'intérêt qu'ils manifestaient pour la maison, de voir à quel point ils se fichaient d'y avoir vécu avant d'essaimer. Ma mère a laissé tomber son sac à main sur la table, comme si elle se trouvait dans un hall de gare, puis elle a ouvert les fenêtres car l'odeur la dérangeait tandis que Nathan pissait sans fermer la porte des W.-C.
Sa dernière idée était de rénover les peintures, changer la moquette dans les chambres et réparer quelques trucs pour en tirer un meilleur prix.
Ne compte pas sur moi, j'ai dit.
Il a répondu qu'il ne s'y avisait plus depuis longtemps. C'était censé me blesser mais ça ne marchait plus aussi facilement.

Nathan n'a pas dit un mot, il m'a envoyé son poing dans la figure. Sous le choc, j'ai fait un vol plané et j'ai perdu un instant connaissance. J'ai retrouvé mes esprits avec le nez cassé. Je n'ai pas porté plainte. J'ai dit à Yann de ne pas s'en mêler et Yann m'a dit bon Myriam, là ça ne va plus du tout et il ne faisait pas tant allusion à mon dernier fait d'armes qu'à mon problème avec l'héroïne.
Après l'incendie, je n'ai pas dormi durant deux nuits tellement j'étais épuisée, groggy, bombardée de pensées confuses qui s'enchaînaient sans interruption, pliée en deux par des crampes d'estomac, ayant à peine la force ou

la volonté de me traîner jusqu'à ma fenêtre pour respirer, grimaçant malgré les antidouleurs.
Le médecin de mon mari ne m'avait pas trouvée en forme. Je l'avais fixé un instant et n'avais pu m'empêcher de rire et il s'était mis à rire à son tour. En me quittant, il m'avait conseillé de réfléchir. Vous êtes encore si jeune, avait-il ajouté en me baisant la main.
Nathan m'avait frappée avec une telle violence que j'avais heurté la rambarde calcinée qui s'était littéralement écroulée sous mon poids, et mon dos était couvert d'hématomes et d'écorchures.
Ton frère est une petite ordure égoïste, a déclaré Maria derrière moi tout en badigeonnant mes blessures, et tu ne le changeras pas. Est-ce qu'il t'a appelée. Au moins pour prendre de tes nouvelles. Non. Ça un frère. Tu veux rire.
Ma mère n'avait pas fait mieux. Rien. Aucun appel. Je revoyais ce regard qu'elle m'avait lancé au petit matin, parmi les ruines encore fumantes, quelques secondes avant que Nathan me décoche son invraisemblable coup sans prévenir. La maison avait brûlé une partie de la nuit et il ne restait que son squelette. Il faisait bon, mais je tremblais de froid. Le jour se levait et les pompiers rangeaient leur matériel et me considéraient d'un œil fatigué et sévère et les policiers, arrivés après la bataille, rangeaient leurs calepins — j'ai remarqué qu'ils avaient encore ça, des calepins, et pourquoi pas des crayons à mine qu'ils pourraient léchouiller de temps en temps, avant d'écrire — tandis que les arbres bordant les restes de la maison scintillaient de gouttes d'eau en remerciant le Ciel d'être encore en vie. Je

grelottais quand ma mère et Nathan ont débarqué et ont jailli hors de la voiture, blancs comme des morts.
Je voulais leur adresser un sourire navré mais je n'étais plus en état d'actionner les muscles de mon visage. Je suis restée de marbre. Je savais qu'ils n'avaient aucune idée de ce que ça m'avait coûté. Des larmes que j'avais versées d'une pièce à l'autre en aspergeant les parquets et les murs d'essence et de térébenthine que j'avais remontées de la cave. Leur douleur de voir s'envoler un paquet de billets n'était rien en comparaison de celle que je m'étais infligée.
Un voile orangé se levait à l'horizon. Pour commencer, Nathan a balancé un coup de pied dans la portière de ma voiture. Il était resté muet, étrangement, mais il avait l'air furieux. Ma mère demeurait en arrière, interdite.
J'aurais voulu leur expliquer que j'étais parvenue à la conclusion qu'aucun de nous ne possédait un droit quelconque sur la maison et encore moins celui de la dépecer. Nathan s'est avancé vers moi. J'ai gardé les mains enfoncées dans mes poches arrière. Je sentais encore sur mes joues et mon front la brûlure des flammes qui avaient ronflé aux fenêtres en léchant les murs jusqu'au toit. J'allais le prier de réfléchir une minute, de considérer ma position. Ma mère a levé la main et l'a portée à sa bouche tandis que Nathan se campait devant moi. Je n'ai pas compris pourquoi elle faisait ça, sur le coup, en prenant cet air consterné. Je ne l'ai compris qu'après.

C'est Caroline qui m'a décidée. Nous n'étions toujours pas les meilleures amies du monde mais quelque chose

au fond de moi résistait. Ma conscience, j'imagine. Ou la peur de perdre toute estime de soi.
Je prenais aussi en compte l'inquiétude que Yann manifestait à mon sujet mais surtout à l'égard de Caroline que mes comportements récents pouvaient mettre en danger. Si j'étais capable de basculer par-dessus un balcon situé au douzième étage ou de mettre le feu à une maison, Dieu savait à quoi il fallait encore s'attendre de ma part. J'étais devenue un vrai danger ambulant pour notre fille et je finissais par le croire. Je finissais par croire que j'étais emportée par le fond.
Et un matin, Yann m'a déposée devant la porte d'un établissement privé situé en pleine nature et rempli de cinglés dans mon genre. Sois forte, m'a-t-il dit. J'ai opiné.
Je savais qu'il avait raison. Maria elle-même avait fini par s'effrayer de ma consommation — un chemin sur lequel elle renonçait à me suivre, réduisant elle-même la sienne pour me donner l'exemple. Je ne l'avais pas écoutée. La brève et douloureuse liaison qu'elle avait entretenue avec Nathan l'avait marquée. Je l'avais vue pleurer, ne rien manger durant des jours, se mordre les lèvres jusqu'au sang dans les moments les plus durs et la blessure était encore sensible. Je ne la comprenais pas. Je n'aurais certainement pas refusé de me défoncer dans sa situation. C'était la dernière chose dont j'aurais pu me priver pour supporter la mienne.
Mais c'est Caroline qui m'a décidée. Elle était venue me voir dans ma chambre et m'avait demandé pourquoi j'étais dans le noir et ce que j'avais sur la figure. Elle n'était pas

souvent bien disposée envers moi. J'ai apprécié sa visite, l'attention tranquille qu'elle m'a consacrée. Je me suis assise pour lui parler. Après son départ, j'ai enfin réussi à trouver le sommeil.

Ma mère m'a réveillée. J'ai dit oh c'est maintenant que vous prenez de mes nouvelles. Est-ce que le fou furieux est à côté de vous.

Je n'étais pas en état d'avoir une conversation avec elle. Je ne savais pas pourquoi je lui avais répondu. J'ai fixé l'appareil et j'ai raccroché tandis que sa voix lointaine grésillait à l'intérieur du boîtier. Je me suis levée, j'ai écarté les rideaux et un ciel de fin d'après-midi rougeoyant s'est répandu dans la chambre. J'ai cligné des yeux. Je suis sortie sur la terrasse, dans l'air brûlant, pieds nus, en pyjama, une cigarette aux lèvres. On aurait dit un incendie sans flammes, embrasant tout le pays. Derrière la baie, Chloé tendait une cuillère de fromage blanc à Caroline. À l'intérieur, la clim était branchée. J'ai tourné les yeux vers le parc où l'herbe avait jauni et virait à la paille. J'ai pensé aux animaux. J'ai pensé à des animaux s'abreuvant en silence après une rude journée, loin de ces vies ahurissantes qu'on menait au milieu des monts et des précipices, tandis que mes cils frissonnaient dans l'air chaud comme sous le souffle d'un séchoir à cheveux.

Au fond, j'étais libérée d'un poids. J'avais réglé le problème de la meilleure façon possible. La maison n'était plus à vendre — seuls les murs et une partie de la charpente n'étaient pas partis en fumée. Mais bien sûr, ils ne le comprenaient pas, ils ne comprenaient rien. Quoi qu'il en soit, je n'avais plus à lutter. C'était sans doute le bon moment pour partir en cure. J'avais tremblé à cette idée jusqu'à maintenant, j'en avais fait des cauchemars. Je savais que j'étais allée trop loin et que je devrais m'y résoudre tôt ou tard, et je grimaçais, et je m'empressais de me faire quelques lignes pour oublier ce qui m'attendait — on me racontait des histoires de types qui grimpaient aux murs, de femmes qui se griffaient les seins, de cervelles qui chancelaient, de sueurs froides, de hurlements qui duraient toute la nuit.

Je le prenais avec détachement, à présent. Le moment était venu, je ne pouvais plus reculer — « *The readiness is all* ». J'avais promis à Yann de ne plus m'approcher de la rambarde mais je me suis délivrée de ma promesse. J'aurais pu monter nue sur un bûcher, dans cet état d'esprit. Plus rien ne m'importait vraiment.

Nathan a été le premier à me rendre visite lorsque je me suis sentie mieux. La période de sevrage n'avait pas été une partie de plaisir et je me reposais sur une chaise longue, une vraie poupée de chiffon. J'ai soulevé mes lunettes de soleil en le voyant arriver.

J'ai pensé que je devais être abominable après dix jours de régime sec, de crampes, de vomissements, de diarrhées, etc., et j'ai constaté à son air que je ne me trompais pas.

Je viens pour m'excuser, a-t-il déclaré.

J'ai eu un faible rire. Tout en moi était d'une extrême faiblesse. J'ai détourné les yeux en direction du parc qui

se découpait sur le ciel bleu tandis qu'il prenait place à côté de moi.
Il m'a demandé si j'avais entendu ce qu'il avait dit.
J'ai hoché vaguement la tête. Nous n'étions pas au bord de la mer mais une mouette s'est posée en ricanant sur une statue de pierre.
Il s'est penché vers moi et a estimé que ça ne se voyait presque plus.
J'ai dit je ne te croyais pas capable de faire ça.
Moi non plus, a-t-il grommelé. Sinon comment ça va.
Ça va très bien, merci.
On dirait que tu as dérouillé.
Il était en chemisette alors que je gardais une couverture sur moi. J'avais eu froid dès le premier jour.
On sait qu'il y a un prix, j'ai dit.
Je comptais sur cet argent pour revenir en ville. Mets-toi à ma place une seconde, j'ai vu rouge, putain.
J'ai hoché mollement la tête. J'ai cherché à l'intérieur de moi des images de nos jeunes années susceptibles de m'attendrir à son égard. Qu'il soit venu aussitôt me rendre visite ne me laissait pas indifférente. Pas totalement indifférente. Comme frère, je n'avais que lui.
Je suis ta sœur, j'ai dit. Tu aurais pu me tuer. J'espère que ta conscience ne t'a pas empêché de dormir.
Ça t'autorise pas à faire toutes les conneries, que tu sois ma sœur. Je reviens pas là-dessus.
Il avait envie d'y revenir, visiblement, mais je l'ai coupé.
Je me suis aperçue que je ne te connaissais pas, j'ai soupiré. J'ai eu tort d'attendre quelque chose de toi.

Recommence pas avec ça. Non, ça devient malsain.
Je n'étais pas encore très vaillante, mais je me suis levée.
En passant près de lui, j'ai posé ma main sur son épaule.
C'est gentil, j'ai dit, mais il fallait pas te déranger.
Je l'ai planté là. Je suis retournée dans ma chambre. Celle d'à côté était occupée par un jeune acteur qui entamait sa troisième désintox. J'ai frappé à sa porte et j'ai dit qu'il fallait que je boive un verre de toute urgence. Merci, Grégory, merci.
Je me suis laissée choir dans un fauteuil tandis qu'il ouvrait son minibar dans un tintement de bouteilles. Ça m'avait sidérée, la première fois, toute cette quantité d'alcool strictement prohibé dans l'établissement. Je connais tout le monde, ici, m'avait-il répondu. Je suis un très bon client. J'en suis à ma troisième et j'imagine que c'est pas fini.
Il m'a proposé un verre de gin. Sans soda, j'ai précisé.
J'ai commencé ma convalescence.
Grégory était un peu plus jeune que moi. Il ne jouait à aucun jeu vidéo. Parfois il cassait le mobilier et on lui envoyait la note.
Mais c'est la visite de Caroline qui m'a ramenée à la vie.
Elle m'a demandé quand je rentrais et ça m'a fait fondre en larmes.

J'aurais dû me douter que Maria s'intéresserait à Grégory.
Le portrait craché de Leonardo DiCaprio à vingt-deux ans. Ça ne pouvait la laisser de marbre.

Mais j'ai le double de son âge, a-t-elle soupiré. Ça ne marchera jamais. La vie est une tragédie, non.
On supportait un léger pull à la tombée du soir, mais un temps d'été indien s'éternisait depuis début octobre et boire un verre sur la terrasse ou sortir dans la tiédeur de l'aube redonnait la foi.
Il va me déchirer le cœur, n'est-ce pas. Ne me dis pas le contraire.
J'ai souri. Ça m'en a tout l'air, j'ai dit.
Je sortais de ma douche après avoir couru autour du parc et mes cheveux finissaient de sécher dans l'air doux. Tu cherches les ennuis, j'ai ajouté en prenant ma dose de méthadone sirop.
Ils me trouvent, ma chérie. Je n'ai pas besoin de les chercher. C'est une malédiction. J'en sors à peine avec Nathan. Ils me trouvent.
J'ai fermé les yeux. Elle hésitait sur la couleur d'un vernis à ongles pour ses pieds. Vert amande, j'ai dit.
Elle avait pourtant beaucoup d'admirateurs. Je ne comptais pas les hommes ni même les femmes qui la convoitaient, qui mouraient d'envie de se la faire — nos soirées, nos sorties ne manquaient pas de prétendants en tout genre —, mais elle disait la vérité quand elle évoquait la misère de sa vie sentimentale, les habituelles désillusions, ces histoires qui ne menaient à rien, qui ne constituaient qu'un vaste désert gris et rocheux, un paysage lunaire, grêlé d'impacts. Comme si un mauvais sort la poursuivait. Non mais, condamnée à tomber chaque fois, invariablement, tomber chaque fois sur la mauvaise personne, est-ce

que tu le crois, a-t-elle demandé. Je sais que je suis maudite, a-t-elle repris. Inutile de me le rappeler.

Mais non, j'ai soupiré.

Je pourrais être sa mère. C'est atroce.

Je n'ai rien répondu.

Yann est venu nous rejoindre. Sans un mot, il s'est servi un verre.

Ça ne va pas, a demandé Maria penchée sur ses ongles.

Il nous tournait le dos, face au couchant, le cou rentré dans les épaules.

Ce gosse est le pire casse-couilles qu'on puisse imaginer, a-t-il fait d'une voix sourde. Puis il m'a regardée et m'a dit ton copain est une vraie plaie, nom d'un chien, avant de vider son verre.

Le tournage était arrêté pour la seconde fois depuis le début du mois à cause de Grégory. Ça n'avait rien de très surprenant, je commençais à le connaître. Mais rien de ce que Yann pouvait dire ou penser à son sujet ne parvenait à noircir le tableau. Grégory n'était pas le premier à saccager une chambre d'hôtel, à disparaître pendant des jours, à conduire en état d'ivresse. Toutes les stars faisaient ça.

Puis mon mari est allé ruminer à l'intérieur et Maria et moi avons repris nos occupations. J'ai fermé les yeux. Maria s'est de nouveau concentrée sur ses ongles.

Au bout d'un moment j'ai dit tu vois bien que c'est une mauvaise idée, c'est même la pire qui soit.

Elle était assez grande pour savoir ce qu'elle faisait mais Grégory était vraiment trop spécial. J'en ai eu la

confirmation en arrivant chez lui, après m'être frayé un chemin dans la pénombre.
On ne peut pas ouvrir les rideaux, j'ai demandé.
Il s'est laissé choir sur le canapé en grognant. J'en ai déduit qu'il n'y tenait pas et j'ai relevé une chaise qui encombrait le passage.
Il s'est pris la tête dans les mains, il a gémi. Il avait une mine de déterré, les cheveux sales. Je les imaginais ensemble, Maria et lui. Il y avait de quoi partir en courant.
C'est curieux cette manie de tout démolir, j'ai dit.
J'ai remis un peu d'ordre, j'ai jeté les morceaux de verre dans une poubelle, l'aluminium, le PET, les magazines déchirés dans une autre — pour la vaisselle, je ne savais pas, ni pour le robot électrique en morceaux ni pour la cafetière italienne — tandis qu'il piquait vaguement du nez.
On a sonné. Il a dit n'ouvre pas. Je veux voir personne.
Je suis restée près de lui sans bouger pendant que l'on sonnait une nouvelle fois à la porte, puis le silence est revenu et j'ai alors pris conscience qu'il tenait ma main serrée entre les siennes. Quelquefois, je songeais que les choses auraient été plus simples si j'avais eu un frère plus jeune que moi.

Ce n'est pas pour le sexe, ma chérie, c'est pour la fraîcheur, m'a déclaré Maria d'une voix pâteuse. Tu ne peux pas comprendre, toi, tu es jeune. La fraîcheur, ça ne te concerne pas. Tu n'es même pas encore une mère, tu es

comme lui, tu n'es qu'une enfant. C'est pour ça que je t'aime. Ton âme est encore fraîche.
Elle avait ce genre de discours pleurnichard quand elle avait trop bu. Pour la calmer, je l'avais rassurée sur la santé de Greg et j'avais mis un doigt sur ma bouche car Yann n'avait aucune raison d'être au courant ni de savoir que je l'avais vu, c'était leurs affaires et je n'avais pas l'intention de m'en mêler.
Nous étions chez un type dont le salon était traversé d'un petit cours d'eau où glissaient d'énormes carpes entre de vrais rochers couverts de mousses et d'algues translucides. Quelques notes jouées sur des bambous flottaient mollement dans l'air.
Le type a serré Yann contre son épaule et des gens ont applaudi tandis que Maria tendait le bras vers une coupe de champagne qui passait. Je ne parvenais pas à l'arrêter. Je devais moi-même songer à me retenir et c'était déjà bien assez difficile — d'autant que Greg, de son côté, ne m'aidait pas.
Yann est venu voir si nous complotions, si nous avions des nouvelles de la petite racaille que nous lui cacherions.
De qui tu parles, a demandé Maria d'un œil vitreux.
Non, aucune trace, j'ai dit. Il émergera dans un jour ou deux.
C'est le conseil que je lui donne. Ce petit connard se croit tout permis, mais il se trompe.
N'en fais pas une montagne, a soupiré Maria en s'accrochant à mon bras. Tu nous emmerdes.
Tu trouves ça normal. Tu crois que j'ai envie de me

coltiner un animal pareil. De perdre mon temps. Que j'ai que ça à foutre.

Yann était rarement grossier. J'ai laissé un message à Greg pour l'avertir que la température montait du côté de la production et j'ai eu le temps de rattraper Maria qui se dirigeait tout droit vers un petit bassin couvert de nénuphars en fleur.

Quand il s'y met, Yann est vraiment pénible, a-t-elle déclaré. En fait, l'argent les consume. Tous.

Il était deux heures du matin. J'ai installé Maria dans la voiture et j'ai allumé une cigarette avant de démarrer. Qu'elle m'a prise.

Merci, ma chérie, a-t-elle dit en posant une main sur ma cuisse. Et si nous passions le voir.

Je l'ai regardée. Puis j'ai tourné les yeux vers le rétroviseur pour déboîter. Oui, tu as raison, a-t-elle soupiré.

Elle s'est appuyée sur mon épaule pour enfiler son bas de pyjama puis elle est tombée en travers de son lit, un bras sur le front. J'ai ramassé sa robe, sa culotte et son soutien-gorge. J'ai mis une bouteille d'eau près d'elle, et du paracétamol. J'ai tiré les rideaux.

Comme je traversais le couloir pour entrer chez moi, Greg m'a demandé ce que je faisais. J'allais lui répondre lorsque Yann est arrivé. J'ai rempoché mon téléphone.

Pendant qu'il payait la baby-sitter, j'ai ôté mes chaussures et je suis allée prendre l'air sur la terrasse avant de rejoindre ma chambre. Il faisait bon, la lune était presque pleine, d'un blanc éclatant, suspendue au-dessus du parc, bleuissant les toitures zinguées du zoo. Malgré la dis-

tance, une forte odeur de fauve me parvenait portée par une brise tiède qui soulevait ma robe légère.
Quand j'ai senti une main se glisser entre mes jambes. Il ne se passait plus grand-chose sur le plan sexuel avec mon mari et je pense qu'en temps normal je l'aurais dissuadé de poursuivre, je me serais éloignée sans un mot car il m'agaçait, ses jeux m'agaçaient, ne me disaient rien, me laissaient froide, mais je me suis contentée de sourire, étonnamment, et je me suis tournée vers lui en l'interrogeant du regard.
De sa main libre, il tenait deux verres. Me considérant d'un air jovial. Nous étions déjà éméchés tous les deux. Je ne l'étais pas au point d'attendre autre chose que l'ennui habituel où aboutissaient nos séances, mais je ne me suis pas dérobée à sa caresse, je suis restée bonne fille, je me suis tortillée, et d'ailleurs je commençais à mouiller — ce qui n'était pas toujours le cas avec lui.
Excuse-moi d'avoir été désagréable tout à l'heure, a-t-il déclaré. Ce petit morveux m'exaspère.
Comme je me sentais d'humeur étrange, rêveuse, et que je ne voulais pas qu'il malmène davantage ma culotte, je l'ai enlevée. Il m'a dit reste comme ça, reste penchée.
Quand il s'est retiré, j'ai eu l'impression que j'allais m'effondrer sur les genoux. J'en avais encore les lèvres qui tremblaient, le front moite, les yeux ronds. C'était la première fois de ma vie que je jouissais au cours d'un rapport. J'en suis restée stupéfaite.
Je n'ai rien dit. Scotchée, la respiration toujours sifflante, je l'ai entendu remonter son pantalon derrière moi,

reboucler sa ceinture. Il a dit je vais préparer des sandwiches, okay.
J'ai hoché la tête sans me retourner. Je me suis demandé si je n'étais pas en train de rêver.
Plus tard, devant le miroir de ma salle de bains, mon cœur se remettait à battre à la simple pensée de ce qui m'était arrivé. La surprise m'étourdissait encore. L'irrésistible montée du plaisir qui engloutissait tout, qui frappait comme la foudre, sans avertir. La découverte du passage secret qui m'avait tant fait rire jusqu'à maintenant. Mes pointes de sein en étaient encore dures et mes joues roses. Répondre à Greg m'est totalement sorti de l'esprit.
Après quelques efforts, j'ai renoncé à me branler dans mon lit. Je me suis endormie avec un pâle sourire et un corps de plomb, l'esprit en feu. Dans un monde un peu plus vaste, néanmoins.

Le matin où ma mère m'a appelée au secours, il faisait un froid du diable, l'air sifflait sous un ciel gris-bleu, sombrement veiné. Il ne restait au centre du fleuve gelé qu'un étroit chenal navigable encombré de blocs de glace qu'emportait un faible courant. C'était ainsi dans toute l'Europe. Je m'étais arrêtée sur le pont pour profiter du spectacle quand elle m'a annoncé que Nathan avait reçu une correction par des types, juste sous ses fenêtres.
Nathan ne me parlait pas de ses affaires. Je ne savais pas au juste à quel genre de trafic il se livrait. Je ne cherchais même plus à le savoir. Il ne m'avait pas davantage éclairée sur les motifs de son déménagement précipité à

l'autre bout du pays mais j'en avais pris mon parti. Je ne m'interrogeais plus sur le fait qu'il semblait toujours aux aguets, toujours pressé, toujours méfiant. J'avais fini par penser que c'était un rôle qu'il se donnait, qu'il se taillait un costume trop grand pour lui.

Je m'en suis voulu en me penchant vers son visage bouffi, rouge et luisant comme un abricot mûr, pendant que ma mère disparaissait dans la cuisine sans dire un mot.

Fallait pas te déranger, a-t-il déclaré en m'accueillant de son fameux sourire cruel — ses lèvres avaient cependant doublé de volume.

Comme je ne répondais rien, pas très à mon aise, il a ajouté que ça ne venait pas de lui, qu'il ne voulait pas m'appeler.

T'appeler pour quoi faire. Merde. On n'existe pas pour toi.

Je me suis assise. Il venait de trouver une autre manière de m'assommer. Mais j'avais pris le temps de passer à la banque. Ses paroles m'ont noué la gorge, j'en avais le souffle coupé, mais ça ne m'a pas empêchée de sortir l'argent de mon sac et de le poser devant lui.

Voilà ma part, j'ai dit. Débrouillez-vous.

Nathan se tamponnait le nez. Il s'est arrêté pour me regarder. Ma mère s'est figée dans l'encadrement de la porte, une théière fumante à la main — alors que j'aurais donné mon bras droit pour un gin-tonic.

J'aurais dû faire ça tout de suite, j'ai ajouté.

Nathan a fini par ricaner et ma mère a retrouvé sa mobilité, traversant la pièce pour nous servir. Ça m'aurait

évité des ennuis, bien sûr, a-t-il opiné en s'intéressant aux billets. Je crois bien qu'ils m'ont pété une dent.
Je ne veux pas de tes remerciements, j'ai dit.
Quels remerciements.
Ne commencez pas, a déclaré ma mère. Ça suffit, tous les deux. Myriam, sache que j'apprécie ton geste. Il est tout à ton honneur. C'est bien, ma fille. Maintenant, rappelez-vous une chose, écoutez-moi. Nous sommes du même sang tous les trois. Ça passe avant tout le reste.
J'ai baissé les yeux. Je n'en croyais pas un mot. Nous étions le contre-exemple même de cette croyance grotesque.
Quoi qu'il en soit, l'argent a nettement détendu l'atmosphère. Nathan s'est repenché sur les billets et quant à ma mère, je la voyais pour la première fois afficher un léger sourire. Je me demandais si elle n'allait pas sortir une bouteille de champagne.
Puis Nathan s'est changé dans la chambre d'amis, il s'est donné un coup de peigne et nous sommes partis voir mon père. Ma mère en a profité pour me prendre à part.
Nous devons parler de ses obsèques, m'a-t-elle annoncé.
Vous rigolez, j'ai dit.
Elle ne rigolait pas du tout. Il faisait froid mais Nathan avait enroulé son père dans une couverte et le promenait dans le parc de la clinique, sous un ciel plombé.
Je ne suis pas encore prête, j'ai déclaré sans les quitter des yeux tandis que Nathan poussait le fauteuil de mon père sur le gazon gelé. Je n'ai pas envie d'en parler, j'ai ajouté.
Myriam, ton père ne passera pas l'hiver, je suis désolée.

Et le problème va se poser très vite. L'ignorer n'y changera rien.

Avec sa couverture sur la tête, mon père ressemblait à je ne sais trop quoi de rabougri, de préoccupant. Nathan avait l'air de pousser un wagonnet rempli de charbon.

Vous n'avez rien de plus gai, j'ai demandé.

Nous sommes restées un instant silencieuses dans le jardin d'hiver, sous un jeune palmier resplendissant, à regarder les feuilles mortes qui voltigeaient au-dessus d'eux et se perdaient dans les branches nues.

Puisqu'on en parle, je veux être incinérée, a-t-elle repris.

Moi aussi, j'ai répondu.

Les allusions à son cancer ne parvenaient plus à me toucher. L'état de mon père se dégradait vite alors qu'elle semblait en forme en comparaison. Ne crois pas ça, m'avait-elle déclaré. Je voudrais bien.

J'avais en vain cherché ce petit pincement au cœur que j'aurais dû ressentir à ce moment-là. Parfois, à son insu, je la fixais de toutes mes forces, mais aucune étincelle ne se produisait. Il était trop tard, avais-je fini par me dire. La date limite était dépassée. Et c'était la même chose avec Nathan, rien ne pouvait renaître, rien ne frémissait, c'était plié, le monde obéissait à des lois, ce qui était mort était mort. S'en désespérer ou s'en réjouir importait peu.

Ma fille ne m'aimait peut-être pas beaucoup mais au moins notre rapport était sain, tout était clair entre nous, il n'y avait pas de suspicion, pas de non-dits, pas d'ombres, pas de calcul et je commençais à trouver ça merveilleux quand je regardais autour de moi. Je m'étais mise à y

penser pendant ma convalescence. Les quelques visites qu'elle m'avait rendues restaient gravées dans mon esprit jusqu'au soir et parfois jusqu'au lendemain. Sans que je puisse me l'expliquer, je ne gardais que son image de ces instants, et en dépit de la présence de Yann et Maria, il ne restait plus qu'elle sur la photo et c'était parfait. Je n'en demandais pas plus.
Greg l'avait remarqué, il m'avait dit elle te fait du bien malgré tout, ou je me trompe.
Si tu savais quelle peste elle a été, j'ai répondu. C'est rien, maintenant. On a fini par s'accepter. Mais pendant longtemps, ça n'allait pas du tout, elle était épouvantable avec moi. Je n'en pouvais plus.
C'est bien de commencer tout en bas, a-t-il répliqué. Comme ça, on a moins de surprises.
Plus bas, ça n'aurait pas été possible, j'ai dit.
J'y pensais souvent. La question me poursuivait. J'aurais aimé savoir si j'avais été pire que Caroline. Et si j'étais pour quelque chose dans la séparation de mes parents — j'aurais préféré traîner un énorme boulet en fonte que d'avoir ce poids, j'aurais préféré être née avec une jambe plus courte que l'autre. Mais je n'avais pas la réponse, Nathan refusait d'aborder le sujet et ma mère m'assurait que non, sans parvenir à me convaincre — j'avais croisé avec elle certains regards furtifs qui me semblaient remonter de la nuit des temps.
J'ai ramené ma mère et Nathan au milieu d'une sorte de blizzard tout à fait inhabituel pour la région mais auquel il faudrait s'habituer désormais car tout semblait craquer de

partout. En ville, des tourbillons s'élevaient au-dessus des carrefours comme d'énormes spectres vibrionnants, on ne voyait rien à quelques mètres et les trottoirs étaient déserts, à peine baignés d'une lueur opalescente — l'éclairage public montrait là ses limites.

Maintenant, tu tournes à droite, a dit Nathan. C'est gentil de nous raccompagner.

Malgré la rapidité de mes essuie-glaces, je ne distinguais pas grand-chose et j'aurais préféré être ailleurs qu'à l'autre bout de la ville à faire le taxi. J'étais fatiguée et le blizzard ne faiblissait pas. Ma mère et Nathan s'étaient plus ou moins endormis durant le trajet — les nuages bas qui s'amoncelaient dans la nuit tombante m'avaient tenu compagnie.

Aussitôt qu'ils ont mis un pied dehors, ma mère et mon frère ont disparu. Je pensais que Nathan allait me donner quelques indications pour m'aider à rentrer. Si bien qu'après avoir roulé un bon moment au hasard en n'y voyant rien, je me suis égarée pour de bon.

Chaque rue ressemblait à la suivante, un emboîtement de mornes défilés taillés dans la craie, balayés par une tempête aveuglante. La chaussée était verglacée, les rares voitures que je croisais paraissaient danser sur une patinoire, j'étais moi-même agrippée au volant, le nez sur le pare-brise — dans une bourrasque, une église m'est apparue sur la droite, surgissant au milieu des flocons comme dans ces boules qu'on doit secouer —, puis j'ai pensé que j'avais atteint le fleuve, mais je me trompais, je ne savais pas où j'étais.

Je me suis arrêtée à un grand croisement vaguement éclairé pour consulter mon GPS quand j'ai entendu un drôle de bruit. Quelque chose de semblable à un coup de poing dans un sac de gaufrettes, presque un grognement d'animal. Levant les yeux, j'ai vu une voiture qui tournoyait sur le dos dans une gerbe d'étincelles, comme une toupie, un gros scarabée. Une autre qui restait plantée au milieu du carrefour, l'avant enfoncé, le moteur fumant.
Pendant quelques secondes, tout est resté immobile, dans un silence ouaté, indéfinissable, assez éprouvant.
Mon cœur s'est mis à battre. Je suis sortie et je me suis avancée d'un pas hésitant vers le centre du croisement en me tenant les bras. Je n'avais pas froid, je faisais comme si car il me semblait que je devais avoir froid, malgré le blizzard qui faiblissait. Je n'avais pas eu le temps de me couvrir mais ce n'était pas la raison pour laquelle je claquais des dents. En m'approchant j'ai lancé un hello étranglé. Et aucune voiture à l'horizon, personne.
Celle qui était sur le toit avait ses phares encore allumés et par un hasard macabre, ils étaient braqués sur la scène. Pour ne pas en dire davantage, le crâne du conducteur de l'autre tas de ferraille avait éclaté en mille miettes, le sang inondait le pare-brise, le moteur continuait de fumer comme une locomotive. De celle qui était retournée, j'ai entendu un râle, un gémissement. Je ne m'étais pas rendu compte que le vent ne sifflait plus. La brume scintillait.
Aux urgences, je suis tombée sur l'un des policiers qui nous avait interrogés, mon père et moi, après le suicide de nos voisins, un type d'une trentaine d'années aux yeux

verts, globuleux. J'ai été surprise qu'il me reconnaisse après tout ce temps. Le changement vous va bien, m'a-t-il dit. Les urgences étaient bondées, il y avait un embouteillage de civières à roulettes, une ambiance de soldes.
Mon pull était taché de sang, mes mains poissaient. Je me suis péniblement frayé un chemin jusqu'aux toilettes. On aurait dit que j'avais égorgé la moitié de la ville mais la fille saignait beaucoup — je ne voulais même pas imaginer l'état de ma banquette arrière. Il y avait un peu de mon sang aussi, car je m'étais éraflé les bras en l'attrapant pour la sortir de là — par un carreau explosé dont les granulés jonchaient le sol et crissaient sous mes pieds. J'avais une tête à faire peur. J'ai baissé les yeux et j'ai regardé l'eau couler dans le lavabo. Jusqu'au moment où j'ai dû céder ma place.
Il en avait vraiment envie. C'était d'une telle évidence malgré les efforts qu'il déployait pour se contenir. J'en souriais presque. La salle était encombrée de chariots, d'estropiés, le tout baignant dans une lumière blanche, brutale, pas sexy pour un sou et ce type me lançait des ondes très claires par-dessus le tohu-bohu des gémissants. J'ai fini par éclater de rire à l'autre bout de la salle tant cette expérience était étonnante. Il m'a décoché un sourire contrit, le pauvre, comme s'il se débattait avec une érection intempestive. Je lui ai retourné un sourire charmant en haussant les épaules. J'ai attendu qu'il se décide à venir vers moi.
Il m'a demandé si j'allais m'y retrouver par ce temps.
J'ai dit vous en pensez quoi.

Ce n'est pas vraiment mon genre de me faire sauter dans une ruelle par un inconnu mais j'avais traversé une sorte de cauchemar halluciné depuis l'accident et ce type m'apportait un semblant de chaleur, d'ailleurs j'avais froid, je me suis mise à frissonner.
Il m'a dit venez, j'ai une couverture dans ma voiture.
J'ai dit oui, vous avez raison, et je l'ai suivi comme une somnambule alors qu'il courait presque.
J'ai refusé sa couverture car elle sentait le chien policier et j'ai cru qu'il allait défaillir au milieu des flocons qui tombaient à présent tranquillement, bien qu'en rangs serrés, sa misérable couverture à la main, sa déconvenue faisait peine à voir. Il était assez mignon en dépit de ses yeux globuleux. J'ai prié pour n'avoir pas affaire à un éjaculateur précoce et je l'ai entraîné derrière la voiture et attiré contre moi.
J'avais toujours en tête l'orgasme que j'avais connu avec Yann et que je n'avais jamais retrouvé.
Je lui ai dit doucement, doucement tandis qu'il plongeait sa main dans ma culotte en me dévorant de baisers humides, ce que j'appréciais moyennement. Il était un peu comme un chien fou.
Dans mon dos flottait le ballet des ambulances qui surgissaient des ténèbres blanches en ululant et stoppaient devant l'entrée avec des bruits de portières, des éclats de voix. Mais ils étaient tous trop affairés pour nous prêter attention, pour s'intéresser à un couple en train de baiser sur un trottoir pendant que d'autres pouvaient claquer dans leurs mains, rendre l'âme d'une seconde à l'autre.

On aurait dit qu'il n'avait pas eu de rapports depuis des mois. Je lui caressais la nuque car il m'attendrissait. Je l'avais entendu grogner mon Dieu, oh mon Dieu, comme il me pénétrait en tremblant, osant à peine me regarder, son pantalon à ses genoux, soufflant des jets de vapeur bleutée sous la neige. J'avais les fesses gelées. J'essayais de me concentrer mais je n'y parvenais pas. Ça ne venait pas de lui, il n'était ni brutal ni maladroit, je le trouvais attirant et tout, mais je sentais bien que ce ne serait pas pour cette fois, et puis je revoyais cette fille, j'avais presque dû la porter et je l'entendais encore gémissant sur ma banquette arrière et sa main s'abattant soudain sur mon épaule, son dernier signe de vie avant qu'elle ne s'évanouisse.
Mais je n'étais qu'à demi déçue — mon esprit était plus excité que mon corps. Je ne sais pas, j'ai eu soudain la certitude que cette femme allait s'en sortir, elle était à peine plus vieille que moi, je l'ai imaginée se dressant sur sa civière et ouvrant les yeux, et j'ai senti un poids glisser de mes épaules, je me suis mise à mouiller en sachant que c'était en pure perte, qu'il s'échinait en vain, mais je ne regrettais pas de l'avoir fait, je reprenais vie, le stress de l'accident s'évanouissait, mon sang circulait de nouveau, et je l'ai laissé finir sans le bousculer, je n'étais pas pressée, personne ne m'attendait, mes cils tressautaient faiblement sous les flocons, je passais ma langue sur mes lèvres pour en attraper quelques-uns.
En remontant son pantalon, il m'a demandé si je n'avais pas froid — je tardais à remonter le mien, toute molle, toute flapie, malgré tout.

Non, ça va, j'ai dit.
Comme il me regardait avec l'air de tomber des nues, j'ai fini par ajouter mais oui, ça va bien, merci, et je lui ai souri en tournant les talons pour me diriger vers l'entrée de l'hôpital.
Et c'est tout, a-t-il lancé dans mon dos.
J'ai fait celle qui n'avait rien entendu.
Sur le chemin du retour, en dehors du fait que seuls de rares flocons voltigeaient encore joliment dans les phares, je me suis sentie bien, conduire m'a paru agréable, les rues étaient belles, m'y perdre m'amusait. Bien comme ça ne m'était pas arrivé depuis longtemps.
La femme n'était pas si mal en point que je le craignais. J'avais fini par la trouver dans un couloir, garée sur une civière à roulettes, le crâne bandé. Elle avait les yeux ouverts, fixés au plafond.
J'étais restée à distance. Puis j'étais allée lui toucher la main.
La nuit était bien avancée lorsque je suis rentrée. Des glaçons pendaient aux arbres. J'avais envie d'une douche bien chaude, presque brûlante.
Yann m'a tourné autour pendant que je me déshabillais, ramassant mes affaires, me bombardant de questions.
Calme-toi, j'ai dit. Cette fois je n'y suis pour rien.
J'ai actionné la douche. L'eau chaude est la plus belle invention de l'homme, j'ai pensé.

Contrairement à la prédiction de ma mère, mon père a passé l'hiver. Il en a même passé deux autres. Le prin-

temps qui a suivi s'est avéré moins charitable avec lui. Une mauvaise grippe l'a terrassé à Pâques et il ne s'en est pas remis.
Je ne me suis pas trompée de beaucoup, m'a-t-elle déclaré à la sortie du crématorium.
Je n'ai pas bronché. Je l'ai accompagnée à sa voiture.
Greg trouvait ma mère intéressante. Si une machine à démolir pouvait être intéressante, alors ma mère était intéressante.
Elle avait vaillamment supporté sa dernière chimio et le décès de son ex-mari ne semblait pas l'avoir affectée une seconde — elle ne portait pas de noir, en l'occurrence, et avait suivi la cérémonie religieuse d'un œil distrait.
Avant de nous séparer, sur le trottoir ensoleillé, elle s'est tournée vers moi tout en cherchant ses clés dans son sac.
Tu ne pensais pas me voir fondre en larmes, j'espère.
Je n'ai pas répondu. Elle a levé les yeux sur moi.
Que tu es exaspérante, a-t-elle lâché.
J'ai rejoint Nathan qui attendait pour les cendres. Dont il n'a pas voulu, au dernier moment. Il a même refusé de prendre l'urne qu'on lui tendait, comme s'il allait se brûler, il a reculé d'un pas en secouant la tête. Je me suis mordu les lèvres, puis j'ai dit donnez-la-moi.
Nathan était déjà sorti.

Vers midi, il n'y avait pas grand monde, le zoo semblait presque vide. Au vigile qui m'a demandé d'ouvrir mon sac, j'ai déclaré qu'il s'agissait d'un thermos, pas d'une

bombe. J'aime les femmes qui font de l'esprit, a-t-il dit, mais pas que.
Il avait les mêmes yeux verts globuleux qu'Erri mais ce n'était pas le moment. J'en sortais à peine.
J'ai pris une glace en passant car j'avais le ventre vide, j'avais besoin de sucre. J'aurais voulu que Nathan soit avec moi, mais il ne répondait pas. L'air était chaud et sec. Les animaux faisaient la sieste au soleil.
J'ai donné les cendres de mon père aux gnous. J'ai secoué l'urne à travers leur grillage tandis qu'ils m'observaient, immobiles, s'interrogeant benoîtement sur ce nuage de poudre grise incongru.
Plus tard, Nathan a pâli lorsque je lui ai appris que j'avais dispersé les cendres au zoo — sans même parler des gnous. J'ignorais par quel absurde miracle il s'était rapproché de son père depuis qu'ils avaient refait connaissance — en particulier durant l'épisode de la grippe qui l'avait bien plus inquiété que notre mère et moi réunies, ce qu'il n'hésitait pas à nous reprocher, notre indifférence, notre cruelle indifférence à l'égard d'un vieil homme qui s'éteignait, qui perdait la raison.
J'avais envie de me pincer. C'était compliqué. J'étais vaguement jalouse. Je le ressentais comme une trahison. J'entends, ils n'avaient pas fini dans les bras l'un de l'autre, Dieu merci, mais c'était encore trop, leur moindre échange, le ton que Nathan employait avec lui, ses gestes prévenants, leurs stupides signes de connivence, m'avaient prodigieusement agacée. Tous les hommes sont de cette

trempe, avait raillé ma mère, ce ne sont que de petits animaux geignards, au fond.

J'ai dit Nathan, excuse-moi, mais j'étais censée en faire quoi.

Il s'est levé en bousculant sa chaise. Il vivait depuis un moment à la sortie de la ville, chez une veuve d'une bonne soixantaine d'années avec laquelle il jouait au tennis. Il était en tenue, avec un short blanc. La veuve l'attendait sur le court, agitait sa raquette. Il hésitait.

Tu n'avais qu'à t'en occuper, j'ai ajouté. C'est trop facile.

J'ai eu droit à son sourire cruel. Tu devrais réfléchir à ce que tu dis, a-t-il fait. Puis il s'est tourné vers la vieille femme en jupette qui s'impatientait sous le ciel bleu et lui a lancé j'arrive, Patricia, j'arrive.

J'ai été prise d'un sentiment étrange en rentrant. L'appartement était vide. La terrasse baignait dans le soleil couchant. Je me suis avancée au milieu du salon, je me suis arrêtée, j'ai laissé tomber mon sac à mes pieds, comme frappée d'une décharge électrique. Je venais enfin de comprendre que mon père était mort. Je me suis assise. Je suis restée sans bouger. J'ai compris ce que Nathan avait voulu dire.

Mais c'était trop tard, à présent. Dès le lendemain, après une nuit presque blanche, pleine de scènes, d'instantanés exhumés de cette vie que nous avions partagée mon père et moi, que j'avais oubliée, reléguée au fond de ma mémoire, je suis retournée au zoo.

J'ai été soulagée de constater qu'aucun vent n'avait

dispersé les cendres, que les gnous ne les avaient pas piétinées. Ça m'aurait contrariée. J'ai dit je suis désolée.

Erri était persuadé que nous avions eu une liaison, mais il se trompait. Nous avions juste couché ensemble. Il prétendait que je niais l'évidence, que je refusais d'admettre les sentiments que j'avais pour lui, etc., que je gâchais ma vie, et la sienne par la même occasion. Je n'avais encore jamais eu affaire à un amoureux transi, un passionné, un type qui m'offrait invariablement des fleurs — quand le bouquet n'était pas déjà tombé à nos pieds dans l'ascenseur — avant de me culbuter sur le lit, et parfois même de m'y attacher. Je ne m'étais pas méfiée de lui, j'avais souri à ses tendres déclarations entre deux séances, à ses yeux globuleux, à ce regard craquant, tandis que nous fumions quelques blondes, le front encore moite, qu'il me parlait de je ne sais quel coin au monde où nous pourrions commencer une nouvelle vie, ah, ah, ah, et j'avais laissé s'enraciner les choses, j'avais laissé le poison s'infiltrer sans le prendre au sérieux un seul instant. Sans même avoir besoin d'y réfléchir une seconde.
Je ne l'avais pas revu depuis des mois. J'étais au bar lorsqu'il m'a aperçue. Il était au bras d'une femme assez jolie. Il lui a chuchoté quelques mots à l'oreille avant de l'embrasser et de se frayer un chemin jusqu'à moi. Nous n'avions pas mis fin à notre relation dans le calme et la bonne humeur, il ne l'avait pas bien pris et m'avait harcelée durant des semaines, avec obstination, avec la foi du charbonnier, mais ses appels, ses gémissements, ses

menaces avaient fait long feu, le silence les avait engloutis pour finir.
Il avait l'air d'aller bien. Il m'a demandé s'il pouvait m'offrir un verre. Je n'ai pas répondu. J'ai dit que je n'étais pas seule.
Il faisait assez sombre, les bouteilles d'alcool étaient placées dans des vitrines lumineuses, une femme chantait, accompagnée d'un accordéon diatonique.
Mon père est mort, j'ai dit.
Ah, merde.
Il m'a touché le bras. J'ai dit au type deux Bitter Cinzano.
Un père, ça reste un père, il a ajouté. On n'en a qu'un.
Oui, c'est ce que je me dis.
Erri m'avait accompagnée quelquefois lorsque j'allais le voir — il aimait surtout se laisser conduire à travers la campagne, les yeux fermés, loin de la ville, loin de ses enquêtes, la main sur mes cuisses, rêvant au retour où il me prendrait dans les fourrés.
Tu aurais dû me prévenir, je serais venu. Sinon comment tu vas. Tu es superbe.
J'ai envie de me couper les cheveux.
Il s'est accoudé au comptoir. Il a dit non, ne fais pas ça.
Il a insisté pour m'offrir un gin-tonic. Le Cinzano, ça ne te va pas, a-t-il déclaré. Le Cinzano, ça ne réchauffe pas assez.
Nous sommes au printemps, j'ai dit.
Oui, déjà. L'hiver est vite passé. Je me demandais ce que tu devenais.
J'ai haussé les épaules.

Personnellement, a-t-il ajouté, j'ai eu du mal à m'en remettre.
J'ai dit Erri, je préfère que nous changions de sujet.
De quel sujet. De quoi tu parles.
Il souriait, mais en regardant bien, des flammes dansaient au fond de ses yeux. Ce qui ne m'a pas étonnée. Aucune page ne se tournait jamais, quoi qu'on en dise.
Il a vidé son verre d'un trait.
Bon Dieu, a-t-il grogné en le reposant sèchement et la musique n'a pas couvert le bruit du verre cognant sur le comptoir et le barman a glissé un œil en accent circonflexe dans notre direction.
Erri, j'ai dit, ça ne sert à rien.
Tandis qu'il levait les yeux sur moi en prenant son temps, j'ai repéré son amie de l'autre côté de la salle, une belle femme encore une fois, qui nous observait avec beaucoup d'attention.
Est-ce que tu peux me répéter ça, a-t-il fait en roulant ses gros yeux — si grands qu'on pouvait y voir des orages, des tempêtes, de sombres feux de forêt. Ses yeux me rendaient folle.
Ton amie t'attend, j'ai dit.
Elle a qu'à attendre.
Je ne connaissais sans doute pas tout de lui, mais j'en savais suffisamment pour sentir ce qui allait arriver si je ne tuais pas le serpent dans l'œuf. Il s'était déjà mis en colère contre moi, j'avais eu droit à des scènes épouvantables au moment de notre séparation et je les voyais

venir de loin à présent, j'étais comme une feuille vibrant au moindre souffle d'air.
J'ai pris mes verres tandis qu'il blêmissait et sans un mot, je suis allée retrouver Greg et quelques autres installés à une table du fond.
Encore ce connard, a-t-il lâché en me faisant une place.
Je n'avais pas vu Greg depuis un mois, il rentrait d'un tournage en Australie et j'étais heureuse de le retrouver, il m'avait manqué, je voulais passer un bon moment, j'ai dit ça va, tout va bien, mais raconte-moi, Bondy Beach.
Quelques minutes plus tard, nous ne pensions plus à Erri, nous avions fini nos verres et un type en apportait d'autres, Greg me montrait des vampires pendus aux branches comme d'énormes jambons emmaillotés, des geckos à double pénis, des araignées grosses comme le poing qui se promenaient devant la porte de son bungalow posé sur le sable, face à l'océan.
Ils ne s'étaient jamais beaucoup appréciés tous les deux. Erri ne croyait pas à cette pure amitié que je revendiquais, sa fréquentation du mensonge quotidien et de l'horreur ordinaire ne lui permettait plus de s'illusionner sur la pureté de quoi que ce soit. Et Greg n'était pas un garçon foncièrement belliqueux mais il était impulsif et virulent quand l'occasion se présentait — un instant, son visage se figeait dans un éclair joyeux.
Le voyant arriver, par-dessus l'épaule de Greg et sur un morceau de Michael Gira qui engageait à la rêverie — et tandis que Greg s'empressait auprès de moi, me divertissant de ses aventures australiennes, de ce pays où l'on

pouvait entrer dans une banque et se faire servir comme un gentleman, pieds nus, les cheveux encore humides, avec une planche sous le bras —, je me suis levée et j'ai dit Erri, s'il te plaît, arrête, ne commence pas.
Il était à moitié ivre, bien sûr, indécis sur ses jambes, mais son buste restait droit et il ne dodelinait pas. Sa grimace, que ses yeux globuleux rendaient encore plus menaçante, se doublait d'un sourire méprisant, et comme je l'exhortais à retourner d'où il venait, à ne pas faire ça, Greg lui a lancé hello, Erri, espèce de connard.
J'étais consternée. Avant même que des fauteuils ne se renversent, que des tables ne s'envolent au-dessus de nos têtes, j'étais consternée. Des larmes me sont montées aux yeux
Le jour se levait à peine quand Yann m'a trouvée sur la terrasse. Il faisait bon. Je ne m'étais pas couchée. Le silence était surprenant. À l'odeur du parc, de l'herbe pleine de rosée, se mêlait une vague odeur de fauve étrangement rassurante. J'étais assise sur un sofa en résine dont le matelas était couvert d'un imprimé à fleurs aux tons joyeux.
J'ai dit il fait tellement bon.
Yann était en pantalon de pyjama, en tee-shirt blanc. Il n'était pas encore gras, ni vieux. Mais il perdait ses cheveux.
Myriam, le jour se lève à peine.
Oui, c'est tellement beau, n'est-ce pas. Peut-être que c'est trop beau pour nous.
Okay, mais tu as vu l'heure. Est-ce que ça va.

J'attends que le soleil se lève. Ça ne t'ennuie pas. Regarde cette brume, cette délicatesse.
Tu as bu.
Et ce silence avant que tu n'arrives. C'était merveilleux.
Je le sens d'ici. C'était bien, dis-moi.
Je reviens du commissariat de police.
Nom d'un chien, Myriam.
Pas pour moi. Calme-toi. Pour Greg.
Greg. Ce gosse a un grain. Franchement. On ne lui a pas cassé le nez, au moins.
Yann, je n'ai pas envie d'en parler. Tu ne veux pas venir t'asseoir. Profiter du spectacle.
D'accord. Mais ne compte pas sur moi pour applaudir, comme les Américains.
Puis au bout d'un moment, il m'a dit c'est quoi ce sang sur ta chemise, Myriam.
C'est du sang, c'est rien.
C'est pas rien. C'est du sang.
J'ai pris sa main en secouant la tête. Elle me tournait un peu comme il avait pu le remarquer. Les oiseaux se réveillent, j'ai dit. Tu entends. Ça fait du bien de les entendre chanter, enfin moi ça me fait du bien. Ça m'aide à respirer.
Après l'eau chaude, c'est la meilleure invention. Le lever du soleil. Le reste devient minuscule à côté. J'ai dit Yann, est-ce que tu es sûr, parce que moi, je ne sais pas, je ne sais pas si j'ai le cœur à ça après les événements de la soirée, je pensais prendre une bonne douche, mais regarde, regarde comme c'est beau.

Il avait glissé une main sous ma jupe et j'hésitais. Ça me semblait surnaturel. Sa main dans ma culotte, cherchant ma fente, quand je sortais à peine du chaos, quand j'avais l'esprit à des kilomètres. De la pure science-fiction.
On va réveiller Caroline, j'ai dit.
C'était absurde de penser qu'on pourrait réveiller Caroline. Pas de la terrasse. D'ailleurs, il n'en a pas tenu compte.
J'en avais eu assez de ses jeux, de ses misérables manies, et la fréquence de nos rapports en avait souffert, mais je ne le repoussais pas systématiquement. Nous le faisions de temps en temps, sans réfléchir, sans préméditer quoi que ce soit, presque par hasard et de loin en loin — je n'attendais plus de second miracle, je n'y croyais plus.
Poursuivant sa besogne, Yann en avait profité pour me basculer sur le sofa — sans même que j'en prenne conscience, perdue dans mes pensées. Le ciel au-dessus de moi était cousu de fils d'or, en tout cas. J'appréciais d'être dehors, dans le silence du petit matin, à regarder les oiseaux sur un matelas moelleux. La tête me tournait un peu.
Je l'ai donc laissé faire. J'avais fini par me demander si ça ne venait pas de moi. Coucher avec Erri n'était pas désagréable et mon ventre pouvait tressaillir, mes bouts de sein s'engorger, mais rien à voir avec cette sorte d'extase que j'avais connue avec Yann et que je n'avais jamais connue auparavant et jamais retrouvée depuis, ni avec lui ni avec un autre. Autant comparer un voyage en autocar avec un vol en jet privé — du moins était-ce le souvenir aveuglant

que j'en gardais, qui m'amenait parfois à me demander si je n'avais pas rêvé, si le temps n'embellissait pas stupidement tout.
Mais j'avais une telle envie d'oublier ce qui s'était passé, un tel besoin de penser à autre chose. Au-dessus de moi, le ciel prenait l'apparence de la nacre. Il existait des mousses d'une densité si parfaite aujourd'hui, des matelas si formidables pour le dos, pour l'abandon, qu'ils confinaient au supplice. Je l'ai laissé retirer ma culotte.
Pour ça, il savait s'y prendre, c'était sa spécialité. J'ai étendu mes bras au-dessus de ma tête, dans une sorte d'étirement ensommeillé. Je me sentais glisser à mesure que mon esprit se vidait.
C'était comme une coulée tranquille qui s'ouvrait, agréable et sans surprise, d'autant que j'étais à moitié ivre, je ne voulais rien de compliqué, c'était tout à fait adapté, ce n'était pas facile d'oublier Greg fracassant une bouteille sur le crâne d'Erri qui au lieu de s'effondrer lui avait sauté à la gorge, etc., ce n'était pas facile du tout. Et on aurait dit que Yann le sentait, je ne sais pas, la manière dont il s'y prenait. L'aube aussi, sa tiédeur encore fraîche, sa lumière pâle.
Dès que nous avons commencé à baiser, j'ai eu l'intuition que nous n'empruntions pas le chemin habituel, je mouillais abondamment, ma peau était hypersensible, le ciel se cuivrait, inondait la terrasse qui baignait à présent dans une douce étrangeté, une autre dimension. J'ai vu notre reflet dans la baie, Yann avec son pantalon de pyjama aux chevilles, et ma jupe retroussée, mes jambes

en l'air, mon corsage ouvert en deux, et ça m'a excitée, franchement. Je me souviens même avoir pensé, en termes bien plus sombres, que le sexe était la troisième merveille du monde.
Mais je ne m'attendais pas à ça. Au mieux, je me préparais à glaner quelques frissons — toujours bons à prendre dans l'état où je me trouvais, émotionnellement —, quelques suées, quelques soupirs, quelques signes périphériques, mais j'étais loin du compte. J'en suis tombée des nues. Je me suis accrochée si fort à lui que je ne pouvais plus le lâcher, comme électrocutée, le cœur battant, durant de longues minutes. Le bonheur frappe toujours quand on ne l'attend pas, j'ai songé.
Pour finir, nos regards se sont croisés. J'ai failli lui dire merci. J'ai dit je m'occupe du jus d'orange, tu t'occupes des croissants.
Tandis qu'il remontait son pantalon et sortait en sifflotant, je me suis assise devant le presse-agrume, les jambes encore tremblantes, les joues sans doute roses. Une abeille volait dans la cuisine, le soleil apparaissait à l'horizon, je sentais sa chaleur dans mon dos.
Le choc s'était reproduit. Une seconde fois. Je n'avais donc pas rêvé, je n'avais pas exagéré. Et en même temps, c'était si étrange que ce soit avec Yann — qui bien souvent me laissait de marbre. C'était presque drôle. J'imaginais Maria, qui savait quoi penser de ma vie sexuelle avec son frère et de son goût prononcé pour les adolescentes, ricanant avec moi des incongruités de la vie.
Un vrai soulagement, quoi qu'il en soit. Je me suis cares-

sée d'une main, l'esprit ailleurs, nostalgique, tandis que de l'autre je pressais des oranges avec mon KitchenAid.
À son retour, j'ai donné à Yann quelques détails sur la soirée de cauchemar, sur l'échauffourée, Greg en venant aux mains avec un policier en civil pour je ne savais quelle raison et la suite au commissariat, mais j'en ai profité pour l'observer pendant que nous prenions notre petit déjeuner. J'avais du mal à savoir ce que j'éprouvais pour lui. Il y avait plusieurs Yann, bien sûr.
Comme je me levais maladroitement pour débarrasser, il a fait c'était bon, non.
Il avait pris un air innocent. J'ai dit Yann, de quoi tu parles.
Puis, comme il me considérait d'un air entendu, j'ai hésité une seconde avant de lui demander en souriant s'il était sérieux.
Très bien, d'accord, j'ai dit, mais retournons dehors. Il fait si bon.
Je n'y croyais pas, bien sûr. Ce n'était pas grave, mais je n'y croyais pas. J'étais une fille raisonnable. Le ciel bleuissait à peine, traversé d'un hennissement lointain — j'imaginais le souffle des naseaux dans le matin clair —, j'ai failli m'étaler en enlevant ma culotte à cloche-pied, Yann m'a rattrapée par un coude et j'ai pensé qu'il était souvent là quand il le fallait, force était de le reconnaître.
J'ai aussi pensé à Erri et Greg se battant comme des chiffonniers pleins de rage, à cette explosion d'énergie furieuse qui habite les jeunes hommes. J'avais honte du spectacle qu'ils avaient donné, je leur en voulais, et en

même temps j'étais fascinée, leur sauvagerie me fascinait, leur côté primitif, impulsif, sans cervelle.
À quoi penses-tu, me demanda Yann sans cesser de s'agiter sur moi, me pinçant les seins, ma culotte collée au nez comme un tampon d'éther tandis qu'un ciel d'azur se découpait dans son dos.
À rien, j'ai dit. Je ne pense pas. Je m'intéresse à ce que tu fais.
Non pas qu'il s'y prît mal à présent. Il s'y prenait de la même façon qu'un peu plus tôt — quand il m'avait envoyée au septième ciel, aurait dit ma mère —, mais cette fois, il ne se passait plus grand-chose. J'ai donné le change, pour finir. Je me suis mise à gémir, à trembler, à l'enserrer entre mes cuisses comme si je partais en vrille comme une débile, et j'ai attendu qu'il se répande en moi pour me raidir et pousser un soupir factice, long comme le bras.
Cette fois, Caroline s'est réveillée pour de bon.
Comme Yann ne semblait pas vouloir bouger, toujours en moi, les mâchoires serrées, les yeux fermés, je me suis dégagée de son étreinte et je suis allée m'occuper de ma fille qui venait d'apparaître sur le seuil dans son petit pyjama chinois et demandait ce que nous faisions tandis que son père, pantalon baissé, roulait mollement sur le côté.
Je lui ai pris la main pour la raccompagner dans sa chambre. Il était encore tôt. Je suis restée avec elle. J'ai éteint la lumière. Je me suis allongée à côté d'elle, j'ai dit essaye de dormir encore un peu. S'il te plaît. La veilleuse

plaquait quelques étoiles pâlottes au plafond. D'ordinaire, elles demeuraient fixes, mais à présent elles bougeaient, elles se balançaient légèrement. J'étais épuisée. Et par je ne sais quel prodige, Caroline s'est rendormie aussitôt. Je n'osais pas bouger. Pas même fermer les yeux ou étendre une jambe. Je restais saoule, immobile, comme tétanisée. Elle sentait le gâteau sec.

Maria a haussé les épaules lorsque je lui ai demandé comment elle avait su si vite. Pour qui me prends-tu, m'a-t-elle dit. Ces choses-là ne traînent pas. Mon Dieu, j'aurais voulu voir ça. Je me demande comment tu fais, tu dois les ensorceler.

Non, ils sont fous, c'est tout. Ils sont cinglés. Méfie-toi.

Greg s'en tirait avec un œil au beurre noir et une côte enfoncée qui lui faisait un mal de chien, paraît-il. Et son prochain tournage démarrait dans quelques jours. Il se bourrait d'antidouleurs qui le constipaient. L'héroïne m'en avait fait voir à ce sujet et je savais que ce n'était pas drôle.

Non, mais touche mon ventre, a-t-il dit. On dirait de la pierre. Je prends du chlorure de magnésium, bon, mais que dalle. Et des suppositoires effervescents mais que dalle. Et j'ai du mal à respirer.

Ah mais oui, ça bien sûr, j'ai déclaré en posant mon sac. C'est moins agréable, après.

Cette espèce de connard, a-t-il grimacé. Je l'ai toujours dit. Regarde ma gueule, ils sont furieux.

Un peu jaune. Ce n'est pas si terrible.

Non, franchement, a renchéri Maria. Il faut le savoir.
Elle t'a raconté. Je lui casse une bouteille sur le crâne et ce connard qui reste debout, à me fixer dans le blanc des yeux.
Maria a hoché la tête pour dire qu'elle partageait sa perplexité. Je n'avais pas le souvenir qu'elle ait une seule fois désapprouvé ce que disait ou faisait Greg. À défaut d'autre chose, elle se contentait d'être là, près de lui, de faire partie des rares personnes qu'il acceptait dans son entourage, même s'il ne posait pas sur elle le genre de regard qu'elle aurait souhaité. J'en avais de la peine pour elle. De la voir soupirer en vain. De se résoudre à n'être qu'une bonne amie, de ne rien éveiller d'autre en lui et de se consumer en silence, mois après mois, vieillissante et sans aucun espoir.
Je ne savais pas que ça pouvait faire si mal, me disait-elle. Mais c'est une douleur étrange, dont on ne veut pas se débarrasser.
Il faut croire que l'on aime s'approcher du feu quand on brûle. Pour cette raison, et contre mon avis, elle avait vendu à son magazine un grand portrait de Greg que ce dernier, pourtant rétif à ce genre d'exercice, avait accepté de guerre lasse, lui pressant affectueusement l'épaule tandis que je la voyais pâlir de joie et chercher un endroit où s'asseoir, le plus proche.
Elle avait ce qu'elle voulait, ces misérables miettes. C'était une femme intelligente et il n'était pas besoin d'être très intelligent pour comprendre qu'elle avait tort de se lancer

dans cette voie, à moins de vouloir souffrir. Je le lui ai dit et redit. Elle était d'accord avec moi.
Quoi qu'il en soit, je ne risquais pas d'oublier ce léger sourire de pur bonheur qu'elle afficha durant toute la soirée — au point que Yann lui demanda si elle avait pris quelque chose — après qu'elle eut en partie obtenu ce qu'elle cherchait encore quelques heures plus tôt.
Maintenant, le ciel peut me tomber sur la tête, me confia-t-elle. Je suis si contente.
Je n'ai pas voulu assombrir son bonheur. Pour ce que j'en savais, le bonheur était rare, le bonheur était distribué au compte-gouttes. Je l'ai serrée dans mes bras.
Ils ont tenu jusqu'à l'automne, ce que je n'aurais même pas imaginé. Le feuillage était jaune et rouge. Maintenant qu'ils couchaient ensemble, le portrait qu'elle devait rendre prenait du retard et fluctuait au gré de leur relation. Une relation en dents de scie, de la dynamite.
D'autant que Greg prenait le chemin d'une énième cure qui l'attendait à la fin du tournage et ne partageait pas l'enthousiasme de Maria pour leur liaison. Comme d'ailleurs pour aucune liaison durable, sérieuse, constructive, aliénante, me disait-il, à quoi je répondais oui, je sais, j'ai compris, ne te fatigue pas, mais comment en vouloir à Maria.
Il levait les yeux au ciel, haussait les épaules. Sous ses airs glacés, poursuivait-il, quel putain de cœur d'artichaut elle a.
Quelquefois, nous les invitions à la maison et dînions tous les quatre et passions un bon moment ou alors la soirée

s'envenimait entre les deux au point que Maria quittait soudain la table sans manger et regagnait son appartement en claquant la porte — Yann et moi assistions incrédules à ces petites échauffourées au fil d'une belle arrière-saison qui avait vu naître un bébé tigre au zoo et le monde poursuivre sa course dans le tumulte et la confusion générale.
Yann craignait avant tout que les problèmes du couple n'interfèrent sur le tournage, connaissant Greg et ses coups de tête, et il priait chaque matin pour que celui-ci soit à l'heure et prêt à tourner — si possible pas trop amoché, pas trop défoncé.
Il en voulait à sa sœur d'avoir franchi la limite, de tout compliquer, mais tant que certain équilibre était assuré, tant que la production n'avait pas à pâtir des soubresauts de leur invraisemblable liaison, il se gardait d'intervenir.
En revanche, il souhaitait que moi j'intervienne.
Je lui ai dit et de quelle manière, s'il te plaît.
Il ne savait pas au juste. Arrondir les angles, peut-être, leur jeter un seau d'eau quand l'horizon s'embrasait, servir d'arbitre, de confidente, mettre de l'huile dans tous leurs foutus rouages, enfin tu vois.
Mais qu'est-ce que je fais d'autre, d'après toi, j'ai demandé. À quoi crois-tu que je m'emploie dès que j'ai une minute. Avec tous ces trucs que tu me donnes à lire. Je n'ai pas envie de les voir se déchirer. Pour d'autres raisons que les tiennes. Je les aime tous les deux.
Pardon. Je sais bien. Mais on est débordés, mon chou. Et puis tu as du nez, c'est rare.
Je veux être payée pour ce travail.

Tu veux dire, euh.
Tu m'as bien entendue. Disons que jusque-là, j'étais à l'essai. N'en profite pas pour m'entuber. En tout cas, nous savons comment tout ça va se terminer. J'en suis malade. On croirait qu'elle en tire je ne sais quel plaisir, parfois.
Je me suis levée pour prendre l'air sur la terrasse. Il y avait un peu de vent, l'étang au milieu du parc se ridait de fines vaguelettes, les arbres balayaient le ciel livide, à peine lumineux.
Yann est venu me rejoindre en fumant un cigare. S'accoudant à la balustrade, il m'a dit d'oublier le rôle de démineuse qu'il m'avait confié un instant plus tôt. Il a secoué la tête, le regard dans le vague, en ajoutant c'est une affaire hors de contrôle, une sombre nuée. C'est presque fascinant. Cette force qui nous dépasse et qui nous engloutit, qui envahit notre cerveau et le paralyse. Ça fout les jetons, non.
J'ai acquiescé. Puis j'ai dit Yann, on devrait partir tous les trois un moment. Juste toi et moi, avec Caroline. On devrait les laisser se débrouiller, ne plus s'occuper de rien, partir quelque part, et je ne parle pas seulement de Maria et de Greg, mais aussi des autres, je t'assure que ça nous ferait du bien.
Les yeux toujours perdus dans le lointain, il a hoché la tête. Oui, ce serait formidable, a-t-il déclaré. C'est une super idée.
Je pensais qu'il allait continuer, mais il s'est tu.
Je n'ai pas pu approfondir car il y avait une bête dans les

W.-C., d'après Caroline, laquelle tendait la main vers moi pour que je vienne voir ça de toute urgence.
Exact, il y avait une araignée dans le rouleau de papier hygiénique à fleurs.

Ton père n'a jamais eu la moindre envergure. Il a toujours eu l'esprit étriqué d'un petit provincial.
Les mots de ma mère étaient durs. En même temps, elle avait voulu saisir les rames afin de prouver je ne savais quoi et l'effort semblait la rendre vindicative, les paroles sifflaient entre ses lèvres, sa perruque lui tenait chaud, mais elle ramait avec conscience, elle avait eu cette idée farfelue de promenade en barque pour amuser Caroline qui avait fini par s'endormir sur mes genoux.
Elle ratait rarement une occasion de dire du mal de lui, de son obstination à tout régenter, à décider de ce qui était bien et de ce qui ne l'était pas, sans discussion possible, et bien qu'elle m'ennuyât profondément à répéter sans cesse la même chose, avec la même animosité, elle avait fini par me dessiller les yeux. Je me rendais compte à quel point il avait joué de ma détresse, de ma solitude, de ma fragilité, à quel point il m'avait fait payer le vide causé par le départ de celle-ci, puis de Nathan qu'il avait flanqué à la porte. Je l'avais sous-estimé.
Je comprenais mieux à quel genre d'homme j'avais eu affaire — et elle, ce type qu'elle avait eu pour mari.
Au moment de l'accostage, elle s'y prit de manière si maladroite qu'elle perdit l'équilibre et tomba lourdement dans le fond de la barque. Je déposai Caroline sur l'appon-

tement et me tournai vers ma mère pour lui tendre la main et l'aider à se remettre sur pied, mais sous la forte lumière de l'après-midi, penchée au-dessus d'elle, j'eus tout à coup la vision de ma mère au fond de son tombeau, une gisante qui me fixait en grimaçant et je retirai ma main comme d'une flamme, je fis un pas en arrière, effrayée.

Plus tard, elle me demanda ce qui m'avait pris.

J'ai fait la moue, j'ai haussé les épaules. J'ai entraîné ma fille vers le marchand de glaces.

Il ne se passait pas grand-chose entre ma mère et Caroline. Elles s'observaient avec indifférence la plupart du temps, visiblement satisfaites de cette absence de relation, du minimum d'effort que cela demandait. Ma mère me sidérait — je la trouvais pitoyable à cet égard. J'ouvrais de grands yeux, j'étais sciée devant une telle sécheresse de cœur.

N'exagère pas, me disait-elle si j'abordais le sujet, haussant les épaules puis passant vite à autre chose, accélérant le pas.

Elle traînait un peu la jambe, cette fois. Le choc avait été rude, sa tête avait heurté le fond de la barque, sa perruque en était tombée de son crâne.

Je l'entendais marmonner dans mon dos tandis que nous retournions à la voiture, je portais Caroline qui commençait à être lourde, je n'étais pas en train de flâner, quand elle me lança tu pourrais m'attendre, quand même, j'ai besoin de m'asseoir.

On est presque arrivées, j'ai dit.

J'ai installé Caroline, somnolente, sur la banquette arrière, et lorsque je me suis redressée, ma mère n'était pas là.
Je l'ai aperçue à une centaine de mètres, assise dans l'herbe, au pied d'un magnolia qui gardait encore toutes ses feuilles — même si la moitié avait jauni.
Je suis allée la chercher.
Mon Dieu, je ne suis pourtant pas si vieille, a-t-elle gémi.
Je lui ai tendu de nouveau la main, sans me raviser, cette fois — ce n'était qu'une femme entre deux âges, à demi vaincue, revêche, comme on en croise des milliers.
Je ne sens plus mes jambes, a-t-elle ajouté.
Je ne vais pas vous porter, j'ai dit en regardant le ciel.
Elle ne s'était pas encore décidée à saisir ma main. Je fatiguais. Bien souvent, la sortir était une corvée. J'avais demandé à Nathan de s'occuper un peu d'elle — s'il parvenait à s'extraire quelques heures du nid gluant dans lequel il pataugeait avec sa vieille nymphomane, pour se consacrer à sa mère —, mais il m'avait envoyée promener. Je m'étais énervée, mais il avait déjà raccroché.
Caroline s'est manifestée en me tirant par la manche. Elle voulait que nous partions.
On ne dit pas aux grandes personnes ce qu'elles doivent faire, a répliqué ma mère.
Je me charge de son éducation, j'ai déclaré en prenant ma fille dans mes bras. Surtout, ne vous en mêlez pas.
Nous avions à peine démarré que ma mère s'est mise à saigner du nez. C'est Caroline qui s'en est aperçue la première et m'a demandé ce qu'elle avait, la dame, avec une grimace de dégoût. Ma mère s'est aussitôt précipitée

sur le miroir de courtoisie mais sa ceinture s'est bloquée et l'a rudement repoussée en arrière, lui arrachant un couinement d'animal, de belette.

Elle n'a rien dit. Elle m'a jeté un bref coup d'œil avant de sortir un mouchoir de son sac et de le porter nerveusement à son nez tandis que je me rangeais en catastrophe à la sortie du parc, sur le bas-côté, dans une lumière sucrée. Tout va bien, fit-elle en m'indiquant la route. Roule. Dépêche-toi.

C'était l'heure de sortie des bureaux. Malgré tout, ma mère était encore vivante lorsque je l'ai confiée aux urgences, pâle et tendue, mais encore capable d'appeler tel docteur de sa connaissance à son chevet — en l'occurrence un fauteuil roulant ACTION bicolore — tandis qu'un interne à la blouse chiffonnée lui braquait sa lampe de poche dans l'œil en bâillant.

Je pensais ramener Caroline à la maison et revenir. Elle a secoué la tête, m'a dit je reste avec toi. J'ai souri. Je lui ai donné quelques pièces pour acheter des bouteilles d'eau et je me suis assise et je l'ai regardée actionner le distributeur comme une grande, comme si la paix était descendue sur le monde.

Je lui ai rappelé qui était cette femme dont nous attendions des nouvelles. La dame en question. Sa grand-mère. J'ai dit que j'étais désolée de n'avoir pas mieux à lui offrir. J'ai dit que j'étais une toute petite fille, haute comme ça, quand elle m'avait quittée et que ça m'avait rendue très malheureuse.

Elle m'écoutait avec une extrême attention, les sourcils froncés.
Je l'aime pas, a-t-elle fait.
C'est ton droit, j'ai répondu.
Le soir tombait. Ils ont préféré la garder en observation jusqu'au lendemain, mais ils n'étaient pas inquiets, juste prudents. Je les ai remerciés. Nous sommes allées la voir dans sa chambre — tubes, lino, chromes, lueur bleuâtre d'une enseigne sur le mur grumeleux, télé payante.
Nous ne sommes restées que deux ou trois minutes — dont la dernière de pur silence. Mais au moment de partir, Caroline n'a pas voulu l'embrasser et n'en a pas démordu. J'ai vu que ma mère accusait le coup — durant un quart de seconde car elle savait parfaitement se contrôler, mais je commençais à la connaître.
Elle est fatiguée, j'ai dit.
Nous sommes sorties.
Je suis pas du tout fatiguée, a déclaré Caroline tandis que nous attendions l'ascenseur.
Je sais. Allons retrouver ton père.
J'ai repris le volant en pensant au verre qui m'attendait. Le temps de passer une robe en vitesse, de retenir une table pour trois, et je me suis installée devant Caroline en poussant un soupir de soulagement. Il n'était pas tard et un après-midi avec ma mère était forcément épuisant. J'ai commandé un martini-gin en rappelant Yann pour le prévenir que nous étions installées en face, mais je suis retombée sur sa messagerie.
Nous allons lui faire la surprise, j'ai dit.

Je me suis demandé ce qu'elle penserait de tout ça, plus tard, lorsqu'elle serait en âge de comprendre, ce qu'elle penserait de son père, de moi, de nos rapports tordus, de ce que nous acceptions l'un de l'autre, en bien comme en mal.
Il était encore tôt pour s'en inquiéter, d'après lui.
Je n'avais rien mangé et les quelques verres que je m'étais accordés — à mesure que mon impatience grandissait en attendant qu'il sorte de son fichu bureau et tandis que ma fille mangeait ses coquillettes en silence, m'observant du coin de l'œil — ne me rendaient pas optimiste.
Ne mélange pas tout, me déclara-t-il un peu plus tard. Je crois que tu as assez bu.
J'étais en train de me servir. D'ordinaire, l'alcool finissait par m'anesthésier. Ce n'était pas le cas en l'occurrence. Il avait fait cette remarque à propos de mon ébriété sur un ton amical, dénué de reproche, mais ça m'a électrifiée. Sans que je puisse me l'expliquer. Car je ne tombais pas des nues, je savais ce qu'il faisait, tout le monde le savait, et je n'étais pas moi-même irréprochable en la matière, mais ça ne passait pas — humiliation, lassitude, difficile à dire, nous étions des habitués de ce restaurant, et j'étais restée là, sous les regards, à guetter sa venue comme une conne, une pauvre chose qu'on aurait oubliée dans un coin. J'ai dû me retenir pour ne pas me retourner et lui jeter mon verre à la figure. Un éclair de fureur qui m'a surprise.
C'est le prix pour vivre avec toi, j'ai dit.

Myriam, je vais me coucher. Si c'est ça.
Il s'est approché. Il n'avait aucune raison de le faire. C'est moi qui l'ai attiré, par la seule force de ma pensée, par mon ardent désir, irrésistible, de le mettre à ma portée. Il a pris un air conciliant. S'apprêtait à me saisir la taille. Je l'ai giflé. J'étais passablement ivre, mais je ne l'ai pas loupé. On aurait dit qu'un coup de feu avait retenti dans l'appartement. Sa tête pivota d'un bon quart de tour et aussitôt, avant même qu'il ne réagisse, les marques de mes doigts sont apparues en rouge écarlate sur sa joue.
J'en tremblais encore. Il m'a fixée un court instant en secouant la tête, en gardant son calme.
Très bien, okay, a-t-il dit en se touchant la joue.
L'air devenait un peu frais, le soir, mais je suis allée ouvrir la baie pour respirer. J'ai levé les yeux vers le ciel noir — le vent avait tourné et dispensait une vague odeur de ménagerie.
Reste où tu es, j'ai dit. Ne m'approche pas.
Je l'ai entendu s'asseoir sur le canapé. Je commençais à me sentir aussi mal que lorsque j'avais arrêté l'héroïne, des suées, des crampes d'estomac. Je lui ai dit qu'il me rendait malade.
Mais qu'est-ce qui te prend, tout à coup, a-t-il fait dans mon dos.
Je n'en savais rien, mais j'étais au bord des larmes.
Durant les quelques jours qui ont suivi, le souvenir de l'incident est resté vif entre nous, réduisant nos échanges à la portion congrue, à de simples amabilités lâchées d'un ton égal, le regard fuyant, ne sachant ni l'un ni l'autre par

quel bout prendre le problème — ni même s'il y avait un problème particulier, une autre manière de vivre, davantage à attendre, à espérer.
L'automne se mettait à ressembler à l'automne — un ballet de feuilles mortes, le vol bas des hirondelles, l'amorce du plongeon vers les heures sombres, la sève qui redescendait. Maria s'était enfin lancée, avec une humeur de chien, dans la rédaction du long portrait qu'elle entendait consacrer à Greg, de sorte que je ne pouvais espérer qu'elle prête une oreille attentive à mes histoires. Elle souffrait vraiment. Elle se contentait d'admettre que ça n'allait pas très fort avec Greg, mais c'était évoquer un feu de broussailles quand la forêt était en flammes. Serrer les dents en silence était sa nouvelle invention.
Et Greg, quant à lui, était persuadé qu'elle allait le massacrer dans son article et ses craintes alimentaient le climat délétère désormais au cœur d'une relation dont je n'avais pas été la seule à penser qu'elle ne pourrait pas durer et finirait droit dans le décor.

L'orage éclata peu de temps après mon propre accrochage avec Yann — qui s'avéra bien moins terrible en comparaison. L'orage s'annonça par un éclair silencieux.
Le fournisseur de Greg lui fit faux bond — un type auquel je n'accordais guère de confiance, autrefois.
Je vis Greg blêmir devant le buffet, le téléphone à l'oreille, indifférent à ce qui se passait autour de lui. Un signe de mauvais augure selon moi, malgré la douceur du soir tombant et l'euphorie.

Le dernier plan avait été enregistré dans l'après-midi, chacun était détendu, souriant, satisfait d'avoir mené l'entreprise à bon terme en dépit des incidents, des frayeurs, des incertitudes qu'un acteur du genre de Greg avait fait peser sur le tournage. On en riait à présent, un verre à la main, jacassant comme des pies au bord de la piscine.
Le serveur attendait que Greg se décide. Je me suis approchée et j'ai pris une coupe que je lui ai tendue en disant où est Maria, je ne l'ai pas vue.
Une seconde, il s'est demandé de quoi je parlais. Ta copine est en pleine crise, s'est-il rembruni. Elle a préféré continuer en taxi.
Essayons de passer un bon moment, j'ai dit.
Je n'ai pas ce qu'il me faut, a-t-il ricané. Ce con s'est fait dévaliser. Appelle ton frère, demande-lui s'il peut me dépanner.
J'ai fait la moue. Je n'étais pas très enthousiaste. Je ne savais même pas si Nathan s'occupait encore de ça depuis qu'il s'était converti au tennis avec la vieille bique, mais Greg s'accrocha en grimaçant à mon épaule et cette grimace n'avait aucun secret pour moi.
J'aurais pu lui rappeler qu'il partait bientôt en cure et que ce n'était pas la bonne manière de se mettre en condition, mais j'ai pris mon téléphone sans quitter Greg des yeux tandis qu'il avançait une main tremblante pour me caresser la joue.
Nathan déclara qu'il était ravi de lui venir en aide. J'ai senti qu'il souriait de toutes ses dents à l'autre bout du fil. J'ai senti sa gourmandise, le bonbon qu'il suçait.

Reste qu'à l'idée d'avoir sa dose, Greg s'est ragaillardi et m'a gratifiée d'un clin d'œil appuyé avant de rejoindre les autres.
Maria est arrivée peu de temps après, avec ce masque de tragédienne qu'elle arborait depuis que le torchon brûlait avec Greg et qui lui allait à merveille et forçait l'attention — et cette superbe indifférence qu'elle leur réservait.
Rien de particulier, me déclara-t-elle. Les disputes, la désolation habituelle. Regarde-le. C'est un formidable acteur, non.
J'ai tourné les yeux vers Greg, en grande conversation avec un groupe de jeunes filles nubiles — le regard qu'elles lui lançaient, traversé de pensées obscènes.
Il a ça dans le sang, j'ai dit.
Mais vivre avec quelqu'un qui joue toujours la comédie, a poursuivi Maria. C'est impossible. Je le sais. Maintenant je le sais. J'aimerais mieux me couper un bras que de le quitter, mais je vais le faire, tu sais. Tu peux commencer à prier pour moi.
J'ai hoché la tête.
Le quitter avant qu'il ne me quitte, a-t-elle ajouté.
J'ai répondu oui, évidemment, oui, bien sûr. Mais essayons de passer une soirée agréable, tu veux bien.
De temps en temps, Yann me jetait un coup d'œil inquiet. Mais par chance, il y avait du monde, ce n'était pas comme enfermer deux fauves dans une même cage.
J'ai pris ses mains dans les miennes — sans qu'elle y prête la moindre attention.

Je ne voyais plus beaucoup Nathan depuis qu'il vivait dans les trois cents mètres carrés du faux manoir de Patricia — dans la tiédeur de ses faux seins —, de sorte que son évolution vestimentaire m'avait échappé. Pas uniquement vestimentaire.
Je marquai un temps d'arrêt devant l'individu en costume croisé, chemise de soie, chaussures italiennes, aux allures de petite crapule de luxe qui se tenait en face de moi quand je suis sortie pour l'accueillir. Ses cheveux avaient repoussé, il était coiffé, rasé.
Hello, sœurette, m'a-t-il lancé.
Mince alors, j'ai dit.
Quoi, a-t-il feint de s'étonner, visiblement ravi.
Une lune ronde montait dans le ciel, brillait sur son brushing.
En tout cas, je dois te remercier, a-t-il déclaré.
Comme il plongeait une main dans sa poche, le sourire aux lèvres, je l'ai arrêté.
Non merci, j'ai dit.
Non, sans blague, a-t-il fait après m'avoir considérée une seconde. Tu es sérieuse.
On entendait la musique, la rumeur étouffée des conversations.
Ça fait un moment, j'ai déclaré.
Remarque, j'en ai connu, a-t-il concédé. Mais pas des masses.
Nous n'avions jamais pu établir de vrais rapports, lui et moi, si ce n'était à travers la violence, le ressentiment, l'incompréhension, de sorte que nous n'avions rien de

particulier à nous dire, pas de nouvelles à prendre, pas de plaisir particulier à nous voir. Je ne savais pratiquement rien de Nathan — rien de ce qu'il aimait, rien de ses pensées ni rien d'intime — et ma mère avait beau répéter que nous étions un bloc, que nous devions former un bloc, je ne ressentais pas grand-chose pour lui, en dehors d'un vague et perpétuel agacement quand tout allait bien. Au mieux.

Je me demande ce qu'il fait, j'ai dit.

Au même instant, Maria est sortie en coup de vent, hors d'elle, tombant presque dans les bras de Nathan — pilant net comme devant une clôture électrique. De blême, elle devint encore plus blême.

Elle recula d'un pas et le considéra avec mépris, des pieds à la tête. C'est quoi, c'est dimanche, siffla-t-elle entre ses dents avant de l'écarter de son chemin.

Quelle foutue garce, a-t-il ricané en la suivant des yeux. Quelle satanée foutue garce.

Leur aventure était de l'histoire ancienne, de l'eau avait coulé, mais un mauvais feu brûlait toujours sous la cendre, toujours prêt à surgir, semblait-il. Les amabilités fusaient alors des deux camps, comme dans une guerre de tranchées.

Je plains ton copain, a-t-il ajouté tandis que Maria démarrait en trombe, dans un crissement. C'est quelque chose, une femme pareille. Je te le dis. Et c'est pas le coup du siècle.

Je l'ai regardé sans répondre. Je m'inquiétais davantage de ce qui avait poussé Maria à quitter brusquement la soirée.

Je craignais le pire. Je m'apprêtais à partir aux nouvelles quand Greg est sorti à son tour, mais dans un style différent de celui de Maria qui avait surgi comme un boulet de canon. Mon Dieu, j'ai dit tandis qu'il s'avançait sur le perron d'un pas hésitant, s'épongeant la figure avec rage dans une serviette-éponge pliée en quatre, grognant putain où elle est putain j'y vois rien.
Qu'est-ce que je te disais, m'a glissé Nathan. C'est pas un cadeau, cette femme.
Il est allé chercher une bouteille d'eau dans sa voiture pendant que je m'asseyais à côté de Greg sur les marches de pierre qui luisaient avec soin sous la lune. Greg empestait le gin — Maria le buvait pur, ces derniers temps, dans un grand verre qu'elle promenait tout au long des soirées. Il a tourné vers moi ses yeux rouge coquelicot, larmoyants, après avoir fixé mon frère qui revenait vers nous en sifflotant.
C'est qui, a-t-il demandé.
Comment ça, c'est qui.
J'ai levé les yeux au ciel.
J'ai rincé ceux de Greg à l'eau minérale. Il déclara en s'ébrouant que les choses allaient mieux, même s'il avait encore l'impression que du sable roulait sous ses paupières, et qu'elle avait mangé du chien enragé ou quoi.
Je me suis levée. Je lui avais à peine tourné le dos qu'il m'a lancé tu me demandes pas ce qui s'est passé.
J'ai répondu non et je suis allée rejoindre Yann tandis qu'ils entamaient sans plus attendre leur petit commerce.
Je ne vais pas la laisser seule, j'ai dit.

Yann a hoché la tête en promenant son regard sur l'assistance.
Ça ne dérange plus grand monde, ce genre de scène, a-t-il observé.
J'ai vaguement souri. Je lui ai dit que j'avais failli lui lancer mon verre à la figure, l'autre soir.
Avant ou après la gifle, a-t-il demandé.
Les deux, j'ai répondu.
La veille, il se serait arraché les cheveux qui lui restaient dans les mêmes circonstances, mais il était serein à présent, son film était terminé, tout le monde se fichait pas mal du reste, Greg et Maria auraient pu s'écharper sous leur nez sans qu'ils cessent de sourire. J'ai baissé les yeux et j'ai fait demi-tour. Essaie de la coucher, m'a-t-il lancé tandis que je ressortais d'un pas vif.
Greg était allongé sur le siège arrière de sa voiture, totalement dans les vapes. Nathan fumait une cigarette, appuyé contre une aile.
J'attends qu'il revienne un peu à la surface et je me tire, a-t-il fait. C'est bien parce que c'est lui.
J'ai opiné, je l'ai fixé un instant et je lui ai dit tu sais, ça te change complètement.
J'imaginais Maria dévastée, s'effondrant dans mes bras au moment où elle ouvrirait sa porte, se mordant le poing, peut-être, gémissant à tour de bras de son infortune, mais elle me fit entrer sans dire un mot, en gardant un visage de marbre, et se dirigea vers son bureau tandis que je m'asseyais sur le bras d'un fauteuil.
Un instant, elle resta immobile, de dos, puis elle prit une

respiration et se tourna vers moi en me tendant une liasse de pages manuscrites. Je viens de le terminer, déclara-t-elle. Dis-moi ce que tu en penses.
Dehors, la lune passa derrière un nuage, des oiseaux s'envolèrent, presque invisibles, mais on les entendait qui piaillaient en s'éloignant.
Tout le monde en tomba des nues. Personne n'aurait imaginé un portrait si élogieux, si éclatant, eu égard aux scènes de ménage qu'ils avaient multipliées ces derniers temps. Certains l'ont même relu, d'autres ont poussé un sifflement, ont cité des passages à voix haute. Greg est resté muet. Il commençait juste sa cure lors de la parution. Il se mettait à faire froid dehors malgré de belles journées et je lui avais mis une couverture sur les épaules car il refusait de rentrer, d'interrompre sa lecture. Un léger vent soufflait sur le perron de la clinique et Greg serrait le magazine entre ses mains, en pleine concentration.
Rentrons, a-t-il fait au bout d'un moment.
Il disposait à nouveau d'un minibar bien garni. Il déclara que Maria méritait d'être saluée pour sa grande âme.
Mais pourquoi est-elle aussi chiante, a-t-il soupiré en remplissant nos verres.
Tu n'es pas non plus très facile à vivre, j'ai dit.
Écoute. J'ai vingt-deux ans d'écart avec elle. On jouait pas la même partie, ça devenait n'importe quoi, tu as bien vu.
Sur quoi il se plia en deux en se tenant le ventre et disparut dans les toilettes. J'en profitai pour fumer une cigarette à la fenêtre — examinant le paysage alentour de l'œil

blasé de l'ancienne pensionnaire. Songeant à Maria partie se reposer quelques jours à la montagne, seule, incapable de penser à autre chose, d'entreprendre quoi que ce soit — j'avais moi-même préparé son sac, pris son billet, réservé sa chambre —, je m'en voulais de ne pas l'avoir accompagnée, de n'avoir pas assez insisté comme elle l'aurait sans doute fait à ma place — au cas peu probable où elle m'aurait demandé mon avis. Un instant, je fixai un massif d'hortensias défleuris en contrebas et un chat roux en a jailli à la poursuite d'une belette pygmée qui n'avait qu'une faible avance.

Greg réapparut sur ces entrefaites, tiraillant avec tristesse le pantalon de l'infâme jogging lie-de-vin qu'il ressortait à chacune de ses cures comme un vieux compagnon de souffrance — qu'il s'empresserait d'oublier dès qu'il serait remis sur pied.

J'ai lu un scénario qui pourrait te plaire, j'ai dit — mais il s'en fichait et moi aussi.

Il est venu se poster près de moi en grimaçant et nous avons regardé le chat qui jouait avec la belette, la faisait sauter en l'air et la rattrapait entre ses griffes.

Je l'aime vraiment bien, a-t-il lâché. Tu peux penser ce que tu veux.

J'en doute pas, j'ai dit sans quitter le chat des yeux.

Tu as des nouvelles, a-t-il fait en observant la scène.

J'ai secoué la tête. Je n'allais pas lui dire que Maria était au fond du trou, qu'il fallait la forcer pour manger, qu'elle ne parlait pas, qu'elle passait le plus clair de son temps en

peignoir de bain, sur un matelas de repos, un masque sur les yeux, dans un parfait silence.
Elle me surestime un peu, a-t-il repris. Mais c'est le meilleur papier que j'aie jamais eu de ma vie.
J'en voyais souvent, j'ai dit, quand je vivais à la campagne avec mon père. Des belettes. Des couleuvres aussi. Je détournai les yeux un instant. Ça me semblait si loin. J'avais l'impression qu'il ne s'agissait pas de moi, mais d'une autre. D'une fille muette qui s'agitait dans une maison vide.
Le chat emporta sa proie sous les hortensias. Greg éternua deux fois de suite et m'avertit qu'il était temps que je parte. J'opinai. Il épongea son front moite.
Dis-lui que je pense à elle. Pas que je t'ai chargée du message, mais que c'est évident. Que je traîne une sorte de vague à l'âme. C'est pas complètement faux, d'ailleurs.

Le plus étrange de l'histoire est qu'ils devinrent de vrais amis, avec le temps. Je ne sais pas comment ils s'y sont pris, c'est un mystère pour moi, une fleur est sortie des décombres, disons.
Ils se sont revus pour la première fois quelques mois plus tard, à l'occasion d'une fête de Caroline qui avait subtilisé mon téléphone quand j'avais le dos tourné et avait invité Greg sans m'en parler. Elle se fichait de nos histoires d'adultes. Lorsqu'il revenait de voyage, elle se jetait à son cou, se laissait soulever du sol. Ce type était le pire charmeur que j'aie jamais rencontré — quelquefois c'était lui qui se jetait à ses genoux et ma fille adorait ça.

C'était un après-midi de fin d'hiver, clair et sec. Les jours étaient courts. Il y avait une bonne vingtaine d'enfants de l'âge de Caroline, des parents, des nounous, le salon était jonché de papier-cadeau fleuri, de rubans argentés, de ronchonnements, de cavalcades, et nous fumions une cigarette sur la terrasse, Maria et moi, assez exténuées, dans l'air froid, quand Greg a débarqué.
Je me suis figée. Je me suis sentie brûlante. J'ai juré à Maria que je n'y étais pour rien.
Ça va, m'a-t-elle dit. Tout va bien.
Ils ont échangé quelques mots, un peu plus tard, avec des sourires crispés, mais de nous trois j'étais celle qui en menait le moins large, qui croisait les doigts, qui se mordillait les lèvres. Ils n'étaient pas au mieux de leur forme, cela dit, Greg sortait juste d'un sevrage qui s'était révélé plus pénible que les précédents et Maria était encore sous tranquillisants, ce qui expliquait peut-être leur choix de baisser les armes, mais un dérapage demeurait possible. Je restais aux aguets. J'étais couverte d'un voile de sueur moite lorsque l'appartement s'est vidé et qu'enfin seules, nous nous sommes regardées, Maria et moi.
C'était dur, mais ça m'a fait du bien de le voir, a-t-elle déclaré. Je ne sais pas comment dire.
J'ai souri en la prenant dans mes bras. Et si nous allions manger quelque part, j'ai proposé. J'ai faim.
J'ai eu le même son de cloche du côté de Greg qui m'a aussitôt demandé ce qu'elle avait dit et en est resté le regard vague durant une minute. Quant à moi, je respirais. L'ambiance des fêtes de Noël avait été épouvantable

en raison de leur rupture, de cette douleur grise qui flottait, et je percevais enfin une première lueur au bout du tunnel, qui ne fit que se confirmer par la suite.
En dehors du fait que Maria était devenue une espèce de nonne, sexuellement parlant. Greg ne lui en tenait pas rigueur, mais demeurait interloqué. Il n'était pas en manque de ce côté-là, des filles continuaient à dormir devant sa porte, il voulait juste comprendre.
C'est un avantage qu'on a sur vous, j'ai expliqué. On n'est pas obligées de se comporter comme des animaux.
On ne mélange pas tout, tu veux dire. Mais si c'est ce qu'elle veut, c'est bien comme ça.
Nous attendions Maria et Yann dans la voiture, tandis qu'ils prenaient des billets pour le ferry. Je ne voulais pas aborder ce genre de sujet avec Greg, c'était parfaitement inutile. J'ai déplié une carte et j'ai regardé où nous étions en attendant l'embarquement.
Lorsque l'on est sur le point de mourir, les choses s'éclaircissent, l'esprit est traversé d'ondes lumineuses et on ne retient qu'elles, tout le reste tombe en poussière et disparaît.
Il s'agissait de l'une de ces belles journées que l'on espère avoir pour terminer les vacances en beauté. Quelques nuages d'un blanc épais, éclatant, glissaient lentement dans le ciel impavide, il faisait bon et chaud et Yann est revenu en distribuant des Esquimau.
Petite ombre au tableau, il n'y avait plus de place pour la voiture et nous devions attendre le tour suivant — et la rotation du ferry prenait trois bonnes heures.

La météo a eu le temps de se dégrader. Avec une rapidité et une amplitude qui n'étonnaient plus personne, ici, en dehors des étrangers. Il n'était pas tard mais la nuit semblait tomber, le vent soufflait du large, l'éclairage public brinquebalait au-dessus du parking où une cinquantaine de véhicules s'apprêtaient à embarquer et la consigne était de ne pas traîner afin d'éviter le grain prévu pour la soirée.
Nous nous y sommes pourtant précipités tête baissée, sans coup férir, au milieu d'une forêt d'éclairs gigantesques, de vagues déferlantes, de trombes d'eau se fracassant sur le pont couvert, de grincements de ferraille épouvantables, cramponnés à des banquettes de bois vissées dans le sol détrempé. Des sacs, des bouées, des vêtements, des objets voltigeaient autour de nous, des cris, des beuglements. Un type qui venait de s'entailler le front contre un extincteur s'est mis à hurler que nous allions tous y passer.
Une image m'est revenue plus tard, dans le hall de l'hôtel. Greg et Maria serrés dans les bras l'un de l'autre au moment où le ferry semblait vouloir partir en miettes. Je n'avais pas compris ce que je voyais, sur le coup. À présent, Caroline s'était endormie dans un fauteuil pendant que Yann et Greg s'occupaient des chambres et plaisantaient avec l'hôtesse, une vieille femme aux cheveux argentés, délicate comme un service de porcelaine. J'ai tendu la main vers Maria qui m'apportait un gin-tonic. Un hôtel de style victorien, une bonbonnière donnant sur la plage, quelques voiliers, et la lune qui commençait à percer, à briller un peu partout. Santé, j'ai dit.

Ça n'a pas empêché Greg de se marier quelques années plus tard. Il est entré en coup de vent dans mon bureau pour me l'annoncer. J'ai levé les yeux vers lui — j'étais justement en train de lire une histoire de mariage raté —, je lui ai dit Greg, n'épouse pas une fille de dix-huit ans. Ça ne rime à rien.
Je n'espérais pas qu'il allait m'écouter. La fille en question, Sharon, une adorable petite roulure à la Paris Hilton, en plus jeune, s'étalait dans tous les magazines, publicité, mode, cinéma, et elle avait tapé dans l'œil de Greg à peine un mois plus tôt à l'occasion d'un tournage pour un parfum.
D'après Maria elle-même, il en était fou, mais ça ne semblait pas l'inquiéter outre mesure quand elle m'en parlait. Alors qu'elle s'était montrée si jalouse, à l'époque, si prête à s'enflammer. Celles qui s'étaient un peu trop approchées de Greg en ce temps-là s'en souvenaient à coup sûr.
Tu es mon agent, m'a-t-il dit. Pas mon directeur de conscience.
J'ai haussé les épaules.
Au moins, c'était le genre de potins dont ma mère raffolait et ça nous donnait un sujet de conversation. Elle était en phase terminale et bourrée de médicaments mais elle s'intéressait encore à ce genre de choses, elle en discutait avec les infirmières.
Un soir, comme j'allais partir, elle m'a déclaré en se tournant vers le mur qu'elle n'avait jamais été heureuse dans la vie, qu'elle ne savait pas ce que c'était.

Je me suis rassise. Mais je ne pouvais pas faire plus.
Il m'a fallu du courage pour vous quitter, a-t-elle ajouté.
Ça c'est un scoop, j'ai fait en me levant.
Quoi qu'il en soit, je n'étais pas la seule à voir ce mariage d'un mauvais œil. Caroline n'était pas disposée à jouer la demoiselle d'honneur.
On ne peut pas m'obliger, a-t-elle déclaré.
Bien sûr que non, j'ai dit.
Il pleuvait à verse depuis le matin. Je ne savais pas trop ce qui se passait dans sa tête. J'imaginais que la confusion régnait.
J'ai eu un coup de téléphone de son école quelques jours après, au sujet d'un accrochage sérieux entre Caroline et une autre élève. Je ne me souvenais pas avoir eu un tel caractère à son âge ni avoir su me défendre, j'étais plutôt une froussarde, j'ai dit chère madame, excusez-moi, Caroline ne se bat pas pour rien.
Épouser cette fille était une idiotie, mais ce n'était pas la première que Greg commettait. Inviter Nathan au mariage en était une autre. Rien n'avait pu le faire changer d'avis. Il ne voulait pas vexer son dealer, j'imagine.
Ma mère ne voulait pas mourir avant que je lui fasse le compte rendu précis des festivités.
Vous n'allez pas mourir, j'ai dit.
J'entendais par là qu'elle n'allait pas mourir dans les jours qui viendraient, mais elle l'avait compris. Je veux tous les détails, tu m'entends, a-t-elle insisté. J'ai acquiescé. Je me demandais comment on pouvait mourir en s'encombrant l'esprit de ce genre de choses — et dans quel état on

arrivait au Ciel. Mais c'était ma mère. Combien de fois m'avait-elle reproché de ne pas la prendre comme elle était, de ne pas faire cet effort.

Vous pouvez compter sur moi, j'ai dit.

Le seul fait de se marier en automne, sous un ciel gris, orageux, dans un parfum de feuilles mortes. De mauvais augure, selon moi. Placé sous un mauvais signe. La tente dressée dans le jardin était aussi avenante qu'un mausolée. Le champagne n'était pas assez frais.

Détends-toi, m'a glissé Maria. Prends exemple sur moi.

Il y a vraiment trop de monde, j'ai répondu. On se croirait à une première, non. Tout le monde se regarde.

Tu aurais déjà filé quand je t'ai connue, a-t-elle plaisanté. Tu as fait du chemin.

Non, je suis toujours aussi effrayée, j'ai dit. C'est ça, la vérité. Buvons quelque chose.

Et donc, Nathan était là, avec la vieille Patricia qui portait pour l'occasion une robe de cocktail rose, atrocement courte pour son âge. Le couple formait une espèce de cirque ambulant, gominé, poudré. Ils avaient la chance de n'être pas les seuls, dans le genre clownesque.

Le buffet mesurait un kilomètre. Attraper une coupe de champagne au vol devenait un jeu. Un autre consistait à éviter certains convives, à leur glisser entre les mains avant d'être harponné, c'était fatigant mais c'était ça ou être réduit en morceaux.

Greg avait été vraiment déçu de ne pas voir Caroline. Il était prêt à aller la chercher mais je l'en avais dissuadé, sous prétexte qu'il fallait tenir compte des réactions étranges de l'adolescence, que s'y opposer ne servait à rien, sinon à les envenimer. Il n'en était qu'à demi convaincu, hésitait. Je lui ai fait remarquer qu'on l'attendait en ajustant son nœud papillon.

Nathan a profité d'un moment où je m'étais éloignée de Maria pour me coincer discrètement et me demander, en regardant ailleurs, si je cherchais à l'éviter ou quoi.

En voilà, une idée, j'ai dit.

C'est l'impression que j'ai eue. C'était blessant. Chouette mariage, sinon. C'est Maria qui doit être contente.

J'ai attendu qu'il tourne les yeux vers moi. C'est ça que je n'aime pas chez toi, j'ai dit.

Il ricanait quand je l'ai laissé. Le soir tombait. Nathan ne s'était pas arrangé en vieillissant. J'évitais de prolonger les tête-à-tête avec lui. Je préférais encore perdre mon temps avec un jeune type mal rasé qui tâchait de m'expliquer que je n'avais pas bien saisi la complexité de son scénario, que je n'en avais pas perçu la richesse profonde, au moins c'était reposant, je n'avais pas besoin d'écouter. Par-dessus son épaule, je voyais Greg aux platines, déjà à moitié ivre, serrant sa toute nouvelle femme contre lui. Rayonnante, vêtue d'un bustier à boutons dorés et d'une sorte de tutu. Je me demandais ce que j'allais pouvoir faire avec elle. L'emmener distribuer de la soupe, le soir, quand l'hiver serait arrivé. L'emmener au zoo. La présenter à ma mère.

Maria prétendait que ça ne changeait rien. Pas l'essentiel, en tout cas, mais je ne partageais pas son optimisme. Je sentais bien que Sharon se méfiait de nous — quand elle

ne nous sautait pas au cou de façon hystérique. Ce qui était assez compréhensible, au demeurant — j'accordais à Maria que nous aurions fait la même chose à sa place.
Je suis allée applaudir le gâteau pour me rapprocher d'eux. J'ai dit je suis heureuse pour vous. C'est formidable.
Je ne m'attendais pas à ce que Greg me prenne par la taille, encore moins qu'il ait ce geste tendre en présence de Sharon, appuyant sa joue contre ma tête, mais il était trop tard pour y changer quoi que ce soit et durant deux ou trois secondes, Sharon a ri jaune.
Il te fait marcher, j'ai dit.
Yann avait le chic pour être celui qui arrivait toujours au bon moment. Dans les soirées, il était souvent mon plus sûr allié, le sauveteur qui courait vers moi avec la seule bouée restante. Il m'a sortie de cette situation gênante — alors que Dieu savait qu'il n'y avait jamais eu le moindre geste équivoque entre Greg et moi — en m'entraînant à l'écart, sauf que cette fois, c'était pour me lancer sur les rochers.
Ton frère vient d'emplâtrer un distributeur, m'a-t-il annoncé en m'entraînant dehors.
C'est embêtant, j'ai demandé.
À ton avis.
Je ne savais pas ce que Nathan avait pris, mais j'ai compris au premier coup d'œil, avant même que je n'arrive jusqu'à lui. Il avait tout d'une marmite sur le feu, ses yeux brillaient, roulaient comme des agates. Il semblait telle-

ment aimable qu'il avait fait le vide autour de lui, il n'aurait pas récolté mieux en ayant la peste.
Je me suis assise à sa table. Je ne voyais personne couvert de crème, dégoulinant de gelée.
Il va revenir, m'a-t-il dit. Il est allé faire un peu de toilette.
Nathan, c'est le mariage de Greg, tu vois.
Regarde-moi toutes ces têtes d'abrutis, a-t-il fait en désignant les curieux qui nous observaient. Tous ces ringards avec leur barbe de trois jours, tous ces faux-culs, toutes ces connasses.
J'ai pianoté sur la table. Ne fais pas d'histoires, j'ai repris.
J'aime pas qu'on me prenne de haut.
Tu as raison. Mais c'est réglé, si j'ai bien compris.
Je vais te dire une chose. Tu t'es vue, tu es comme eux. Tu as changé. Tu es devenue comme eux.
Je n'ai pas pu changer beaucoup, j'ai dit, je n'étais rien, avant. Mais ce n'est pas toi qui aurais pu y faire quelque chose.
Tu en es encore là, après tout ce temps. C'est génial. Faut te faire soigner, ma vieille.
J'ai de nouveau pianoté. La rumeur des conversations se mêlait à la musique, au claquement mou de la toile du chapiteau que l'air tiède traversait. Je fais quoi avec un type dans ton état, j'ai demandé. J'attends que ça parte en vrille, dis-moi. Que tu gâches tout.
Il était agité. Que je gâche quoi. Que je gâche cette merde.
Je me suis penchée vers lui. Nathan, tu vas te faire flanquer dehors, si tu continues.

On va pas me flanquer dehors. Il peut pas se le permettre. Sinon je lui fous dans le cul.
Je l'ai regardé. Je ne me sentais pas au bout de mes peines.
J'ai dit je vous croyais copains, depuis le temps.
Je suis le type qui lui vend sa merde, tu me suis. Pas autre chose. Il est même pas venu me voir une seconde. Tout juste s'il m'a dit bonjour, cet enfoiré.
Tu vas nous faire ce genre de crise, j'ai demandé.
Je suis pas assez fréquentable, c'est ça.
Pratiquement personne ne savait qui était ce type mal embouché avec lequel je parlementais ce soir-là — le fait est que je ne m'affichais pas en ville avec lui, que je ne l'invitais pas à nos soirées —, et pour être sincère, je n'avais pas très envie qu'on le sache.
Ne dis pas de bêtises, j'ai soupiré.
Ce que je dis, c'est que tu baignes dedans.
Je me suis levée. Je te mets dans un taxi, Nathan.
Il m'a bousculée.
Je n'ai pas raconté la fin de la soirée à ma mère. Elle était fatiguée, je ne voulais pas la contrarier, assombrir quoi que ce soit, lui raconter que son fils avait tout fichu en l'air, et pas simplement le matériel.
Elle s'est endormie avant la fin des visites, si bien que j'ai pu retrouver Nathan deux étages plus bas, entre les mains d'une infirmière, et il a commencé par me dire qu'il était navré, qu'il regrettait, mais il s'était blessé à la tête en faisant s'effondrer le chapiteau et je ne voulais pas l'accabler lui non plus, je voulais juste voir comment il allait.
Je prendrai plus jamais de ce truc, a-t-il déclaré.

Oh, tu peux prendre tout ce que tu veux, j'ai dit. Ça m'est complètement égal. Tu sais, tu as été tellement odieux avec Maria. Je n'en reviens pas. Quel salaud tu es.
Qu'est-ce que je lui ai dit. Je ne sais même plus ce que je lui ai dit. J'avais comme un voile devant les yeux.
Mais tu es content. C'est bien ce que tu voulais. Passer ta petite colère comme si ta vie en dépendait. Tu me rends malade, Nathan. Si Greg ne t'était pas tombé dessus, je l'aurais fait. Je te jure que je l'aurais fait. Et tu vois où ça nous entraîne. Tu vois comme c'est intelligent. J'en ai rien à foutre que tu sois mon frère.

Ma mère est morte quelques jours plus tard, un peu avant le début de l'hiver, et je n'ai pas ressenti grand-chose. J'ai attendu jusqu'au lendemain pour en être sûre, mais rien n'est venu et j'en suis restée mélancolique pendant un moment. Une petite douleur, un pincement m'aurait rassurée sur le bon fonctionnement de ma mécanique intérieure, mais je n'éprouvais rien. Tandis que Nathan baissait les yeux, frissonnait dans son costume à rayures, un pansement sur la tête. Nous avons échangé un regard sombre, tous les deux. Avec le prêtre, nous étions trois.
Je lui ai jeté une poignée de terre molle, sans brusquerie, sans amertume. Le cœur sec.
Elle aurait sans doute aimé connaître la suite de l'histoire. Elle aurait sans doute été amusée d'apprendre que dès le printemps suivant, Sharon a été frappée d'une terrible crise d'acné qui l'a défigurée, faisant rapidement le vide

autour d'elle — transformant la profession en nuée effarouchée, réduisant son téléphone au silence.
Je me souviens du premier bouton apparu au milieu de son front un beau matin, alors qu'elle venait d'entrer dans mon bureau pour voir le contrat d'agent que j'étais censée avoir signé avec Greg.
Quel contrat, j'ai dit. Tu as un truc sur le front.
Elle a sorti un petit miroir de son sac, a étouffé un cri, puis s'est précipitée vers les toilettes.
Pendant ce temps, le soleil s'installait, les amandiers fleurissaient, et vers le milieu de la semaine, quand rien ne laissait prévoir la catastrophe, comme la foudre s'abattant sur un transformateur, un coup de fil de Greg m'a annoncé qu'elle en était couverte.
Tu verrais le tableau, aïe aïe aïe. Tous les volets sont tirés. Ça la rend dingue. Moi aussi, par-dessus le marché.
Greg, il est tard, j'ai dit. Je me demande à quoi je pourrais être utile.
Je ne sais pas. Allons boire un verre. Foutons le camp.
Je n'étais pas très partante, mais j'ai enfilé une veste et j'ai laissé le père et la fille à leur jeu vidéo.
Greg m'a montré une photo d'elle sur son téléphone. J'ai dit oui, effectivement.
Et je l'ai prise hier soir, a-t-il ajouté d'un air soucieux, perplexe, en se renfonçant dans son fauteuil. Mais là, au moment où je te parle, elle est repoussante.
Il a regardé dehors.
Je ne devrais pas dire ça, bien sûr, a-t-il ajouté. Je dois la prendre comme elle est.

Il ne faut surtout pas qu'elle se gratte, j'ai dit.
C'est pas contagieux, je suppose.
Absolument pas. Lave-toi les mains quand même, tu sais.
Il a sorti de sa poche un petit flacon de gel antibactérien et l'a tenu devant mes yeux entre le pouce et l'index. Tu vois ce que je veux dire, a-t-il déclaré.
Il a fait signe au garçon de nous resservir la même chose, toujours avec des cacahuètes et des olives car il n'avait rien mangé.
Elle me coupe l'appétit, je ne peux rien avaler. Tu crois que je peux travailler Richard III dans ces conditions.
Je vais voir ce que je peux faire. Te louer un studio. Je ne sais pas. Je vais voir.
Elle brûle du papier d'Arménie dans toutes les pièces, des carnets entiers. Ça la rend complètement dingue, franchement.
Ce n'est que le début, j'ai dit. Voyons comment ça évolue. Dis-lui que j'irai la voir.
Oui, mais tu perds ton temps, elle n'en démordra pas.
Tu ne peux pas faire n'importe quoi avec n'importe qui.
Non, je suis désolée. Je passerai néanmoins lui dire bonjour. Je ne suis pas en conflit avec elle. J'essaie de bien faire mon travail.
Ainsi, j'ai sonné chez elle quelques jours plus tard, par une timide matinée d'avril, avec deux cents pages d'articles que j'avais réunis à partir de forums et de publications médicales et glissées dans une pochette en rhodoïd que je lui ai mise d'emblée entre les mains.

Hello Sharon, je t'ai apporté de la lecture, j'ai dit. Le point sur la recherche, les dernières avancées sur le sujet.
Elle portait un foulard sur le nez qui lui cachait la moitié du visage, un autre noué sur le front. Ses yeux étaient gris clair, larmoyants.
Eh bien, fais-moi voir ça, j'ai dit.
C'était moche. Rouge et purulent. Je comprenais son hésitation, pourquoi l'appartement était plongé dans la pénombre.
J'ai vu pire, j'ai déclaré, tandis qu'elle se laissait choir en gémissant sur ses talons.
J'en peux plus, a-t-elle explosé. C'est une malédiction.
J'ai posé la main sur sa tête.
Ah, fous-moi la paix, a-t-elle lâché sur un ton exaspéré, me repoussant avec brusquerie.
Je n'étais pas encore parvenue à lui dire franchement que ses talents d'actrice ne m'avaient toujours pas frappée et qu'en tout état de cause elle n'était pas du niveau de Greg et ficherait tout par terre dès qu'elle ouvrirait la bouche. Et ce n'était pas maintenant que je pouvais le faire. Le moment était mal choisi.
Écoute, Sharon, ils font des miracles aujourd'hui. Les voitures vont rouler toutes seules. On va pouvoir vivre jusqu'à trois cents ans.
Elle m'a regardée et s'est relevée en reniflant.
C'est un cauchemar, putain. Ma carrière est finie, s'est-elle lamentée en se traînant vers la cuisine.
Je l'ai suivie en lui racontant l'histoire de Matthew

McConaughey qui avait eu le même problème et s'en était sorti pour finir.
Bien entendu, j'ai ajouté tandis qu'elle remplissait la bouilloire, l'huile de vison est absolument interdite.
Tu dois être contente, a-t-elle lancé sans se retourner.
Il faut être un peu spécial, j'ai soupiré, pour se réjouir du malheur des autres.
Je pensais cependant qu'elle en aurait pour un moment et qu'elle m'enlevait une épine du pied.
Greg ne l'avait pas touchée depuis dix jours, ce qui en soi n'était pas délirant — même si Maria, qui parlait d'expérience, jugeait la chose tout à fait édifiante —, mais j'observais cependant une baisse de régime de sa part, un réel manque d'entrain. Il prétendait que son humeur morose était due à son travail sur le personnage du souverain boiteux, ou que les impôts venaient de lui tomber dessus. Il mentait très mal, comme tous les acteurs.
Je tenais de Sharon, qui courait d'un charlatan à un autre, cette information concernant leur absence de relations sexuelles qui la désolait au plus haut point. Même pas la nuit, me confiait-elle, même pas dans le noir absolu. J'étais devenue sa confidente, tout à coup. Lorsque je passais la voir, j'avais l'impression qu'elle m'attendait avec impatience. Ma mère me disait parfois qu'il était important d'avoir quelqu'un à qui parler, même si l'on ne choisissait pas cette personne. J'écoutais Sharon qui m'expliquait qu'elle en était à se masturber, à utiliser des instruments, à se montrer nue à la fenêtre. Ça ne la dérangeait pas que je

fume une cigarette quand elle tâchait de me faire partager sa souffrance.
Je ne savais pas comment lui dire que je cherchais un studio pour Greg qui m'appelait d'un bar, en pleine nuit, pour meubler ses insomnies.
C'est alors que Maria prit le taureau par les cornes.
Je lui ai demandé si elle était prête à faire ça, si sauter dans les flammes une première fois ne lui avait pas suffi.
Il n'y a que les ânes pour se cogner deux fois au même obstacle, a-t-elle déclaré. Il faut le faire exprès, sinon. Il aura sa clé, sa chambre, sa salle de bains. Ça ne me sert à rien, de toute façon.
Je n'arrive pas à y croire, j'ai dit.
J'avais à peine trente ans mais j'avais déjà compris qu'il ne fallait plus s'étonner de rien. Je ne suis donc revenue que mollement à la charge et j'ai accepté, par pure sentimentalité, d'être celle qui expliquerait à Sharon que son mari ne dormirait plus à la maison.
Tu sais, il faut qu'il dorme. C'est trop de pression pour lui. C'est provisoire, bien sûr. Il ne fait pas ça de gaieté de cœur.
Elle ne l'a pas très bien pris, a jeté de la vaisselle par terre avant de fondre en larmes. Je suis restée un moment avec elle pour la consoler en pensant à Maria qui se jetait dans la gueule du loup, à Greg qui devait se préparer à quelque scène houleuse, à Caroline qui était entrée au collège.
Je ne suis pas allée jusqu'à dire à la pauvre Sharon, dont le mal ne s'arrangeait guère, que Greg prenait ses quartiers chez Maria. Je les avais prévenus que je n'irais pas

jusque-là, que ma participation à leur absurde projet avait ses limites. Mais ils se considéraient en souriant, sûrs de leur affaire, comme s'il s'agissait d'une bonne blague.
Et un matin, comme j'embrassais ma fille sur le pas de la porte, Greg est sorti de l'ascenseur avec un sac, suivi d'un type qui transportait un écran plat. J'espérais que je me trompais, qu'ils parviendraient à surmonter les différents soucis qu'ils allaient s'attirer par la force des choses, quoi qu'ils en pensent. J'avais eu une longue conversation avec Caroline qui ne comprenait rien à ce qu'ils fabriquaient et j'avais dû lui parler de ces forces contre lesquelles on ne pouvait pas lutter et qui rendaient nos existences si complexes, nos élans si imprévisibles, si imperméables à la raison. Mais tu le comprendras bien assez vite, avais-je conclu. Rares sont ceux qui passent au travers. Je ne dis pas ça pour te faire peur.
Alors, on est de nouveau voisins, j'ai dit.
Il a souri. Il a dit à Caroline ça doit te sembler un peu bizarre, non. Fais pas attention.
Elle a haussé les épaules avec une moue.
Certes, je ne m'attendais pas à ce que la situation dégénère très vite dans l'appartement d'en face, il fallait leur laisser un minimum de temps avant que mes craintes ne se réalisent — je ne voulais d'ailleurs même plus y penser, je m'efforçais de me réjouir devant l'air épanoui des deux. Un vrai mirage, une sourde fantasmagorie.
Mais l'orage grondait à une autre porte, celle de Sharon. Son visage et ses nerfs étaient à vif, elle était réellement à bout comme je le vérifiais lors de visites presque

quotidiennes dont je ne savais comment me débarrasser — je me revoyais avec ma mère, ces longues heures inutiles, éprouvantes.
Greg faisait le service minimum, lui apportait des fleurs, lui passait des coups de fil — il s'éloignait pour qu'on n'entende pas les cris — mais ça ne suffisait pas, on n'éteint pas un incendie avec un verre d'eau. Je n'avais pas que ça à faire, naturellement, mais je semblais être la seule à m'inquiéter et je suis tombée par hasard sur ces facekinis qui faisaient fureur sur les plages de Chine. Je me suis écartée de l'écran en pensant bingo.
J'en ai aussitôt commandé une demi-douzaine que j'ai reçus deux jours plus tard. En lycra. Bariolés. Magnifiques.
Au moins, tu vas pouvoir sortir, lui ai-je expliqué après qu'elle me les eut jetés à la figure et avoir fait toute une histoire pour en enfiler un à tête de léopard. Et puis ça donne un genre, j'ai ajouté.
Elle s'est calmée, devant le miroir. Tu crois, a-t-elle lâché d'une voix hésitante. Ça fait catcheur, non.
Pas avec ton gabarit, j'ai dit. Allons faire un tour.
Au fond, Sharon n'était pas aussi bête qu'elle en avait l'air. Dans le show-business, la plupart des filles ne savaient plus quoi inventer pour sortir du lot et on a commencé à la croiser, de jour comme de nuit, avec une tête de serpent, de griffon, de diablerie ricanante, de carnaval nocturne. À la première de *Richard III*, elle arborait un facekini Surfer d'Argent assez morbide. Mais elle était si bien fichue, disons, et si rouée.

Greg avait choisi de s'en amuser et me remerciait d'avoir œuvré à sa tranquillité d'esprit. Quant à Maria, elle semblait si bien s'accommoder de son nouveau locataire que je me suis demandé s'ils n'avaient pas franchi la ligne rouge, mais elle me jurait que non.
C'était trop beau. Comme aborder un rivage silencieux à la tombée du jour.
Bien souvent, la vie n'était qu'une succession de petits désordres peu édifiants mais auxquels on consacrait tout notre temps et toute notre énergie sans nous grandir. J'en étais consciente. Pas simplement devant les gnous serrés les uns contre les autres au milieu de leur enclos. Mais devant une crème glacée, par exemple, pendant que ma fille jetait un coup d'œil sur ses nouvelles baskets.
Nous avions parcouru la moitié de la ville pour les trouver et j'étais tombée par hasard sur Nathan, je m'étais presque cognée à lui car j'avais le soleil dans les yeux. Je ne l'avais pas revu ni ne lui avais parlé depuis l'enterrement de ma mère et il a ouvert les bras, souriant de ce sourire qui me déplaisait la plupart du temps. Les filles, a-t-il dit, allons manger une glace. J'ai répondu eh bien, je ne sais pas, mais il s'est esclaffé, comment ça tu ne sais pas.
Il avait une queue-de-cheval à présent et portait de grosses lunettes de soleil en écaille qu'il a relevées sur son front pour étudier la carte. Chouettes godasses, a-t-il glissé à Caroline sans lever les yeux — elle jouait avec son téléphone.
Je suis pas un type rancunier, a-t-il lâché au moment de passer les commandes.

Je me suis efforcée de sourire.
J'ai pensé à toi, sœurette, pendant l'hiver. Avec la neige, vous avez dû vous les cailler.
J'étais bien couverte.
Il a opiné, se tournant vers ma fille. C'est vraiment au poil, ce que fait ta mère, a-t-il déclaré. Je suis épaté par son abnégation.
Il y avait longtemps que je n'étais plus sensible à ses railleries. Je pensais qu'il n'était pas capable d'autre chose — du moins pour ce qui me concernait.
Comment va Patricia, j'ai demandé.
Il a souri à son tour.
J'ai fixé le parfait à l'amaretto que l'on venait de m'apporter. J'ai allumé une cigarette et me suis enfoncée dans mon siège.
En partant, il s'est penché vers moi, mais il n'avait pas l'intention de m'embrasser. Il m'a serré le bras et il m'a soufflé à l'oreille dis à ton copain de penser à moi, parce que moi je pense très fort à lui. D'accord, sœurette. Ne mange pas la commission.
J'ai attendu que Caroline termine sa glace pendant que j'observais la mienne en train de fondre.
Je me demande si ça vaut le coup d'avoir un frère, a-t-elle fait en s'essuyant la bouche.
Ça dépend, j'ai dit. Il y a de belles histoires sur les liens du sang.
Je n'étais pas entrée dans les détails, avec elle, sur mon enfance et les différents événements qui avaient émaillé la suite. Je ne pensais pas que l'image qu'elle avait de moi

en serait valorisée ni qu'elle pourrait en tirer un quelconque enseignement à défaut d'exemple. Mais elle en savait assez pour comprendre que le flou que j'entretenais en disait long sur les zones d'ombre.
Elle était pourtant celle qui me laissait en paix, qui m'apportait la paix — après m'avoir rendue folle pour commencer, vrillé les tympans durant des nuits entières, rejetée, dévastée, fracassé ses poupées sur la figure. Je revoyais toutes les étapes que nous avions franchies, chaque degré, en partant du fond, de l'obscurité complète, pour en arriver là, cette prouesse, ce remarquable effort que nous avions fourni. Mais j'évitais cependant les marques d'affection trop directes, les caresses, la complicité, je ne m'attardais pas, je l'embrassais vite, comme si l'on m'espionnait, comme si je craignais le mauvais œil ou d'être un peu lourde.
La menace à peine voilée de Nathan augurait quelques ennuis en perspective. J'avais une vague idée de ce dont il pouvait s'agir, des problèmes que l'on pouvait avoir avec son fournisseur. Je n'avais pas besoin d'expliquer à Greg les règles du commerce de stupéfiants ni les inconvénients du crédit.
Qu'il aille se faire foutre, a-t-il dit en s'asseyant devant Caroline pour une partie de dames.
Les critiques de *Richard III* n'étaient pas fameuses et il baignait dans une mauvaise humeur permanente depuis le début des représentations. Nous sommes sorties prendre l'air sur la terrasse, Maria et moi. Des types en bras de chemise et cravate nous ont fait des signes de l'immeuble d'en face.

Sharon a encore fait parler d'elle, a-t-elle dit.
J'étais au courant. Une vidéo avait circulé. Des milliers de visites pour la fille au facekini.
Il t'en veut un peu, bien sûr.
Il avait une meilleure idée, j'ai demandé.
Les types continuaient de s'agiter en face pour attirer notre attention — parfois, la vie de bureau rendait fou.
La seule idée qu'il avait, j'ai poursuivi, c'était de ficher le camp. Il m'a laissée me débrouiller seule avec elle. Ça pouvait m'exploser entre les mains.
Tu les connais, a-t-elle soupiré. Ils sont tous pareils. Ils n'aiment pas se faire voler la vedette.
Elle mène bien sa barque. Je suis plutôt admirative. Je ne devrais pas dire ça, non.
Je ne suis pas en concurrence avec elle, tu peux dire tout ce que tu veux, ma chérie.
Ils nous envoyaient à présent des messages, des petits avions de papier, mais aucun ne parvenait sur la terrasse, ils allaient se perdre dans l'espace ou piquaient vers le sol sans espoir.
J'ai mis du temps à devenir intelligente, a-t-elle plaisanté.
C'est ce que tu penses, j'ai répondu.
Tu crois que je ne sais pas ce qu'il fait. Je n'ai pas envie de devenir folle. C'est un poison, tu sais. Le sexe. C'est un poison. C'est la source.
Il a plu dans la nuit. Un orage inattendu. J'étais avec Greg, à la sortie du théâtre, il m'avait dit ne dis rien, s'il te plaît tais-toi, et tout à coup, il s'est élancé sans un mot

sous la pluie battante, les poings dans les poches, le dos courbé, les épaules fumantes.
Il s'est effondré sur scène, quelques jours plus tard, à la suite d'un malaise qu'il devait aussi bien à ses excès qu'à l'accueil mitigé de la pièce. J'étais prête à annuler les dates qui restaient et à l'envoyer se reposer à la campagne, mais il m'a demandé si je voulais le tuer et il est remonté sur les planches dès le lendemain.
Maria était partie à Édimbourg pour le Beltane Fire Festival et Greg était seul à l'appartement. Lorsque je rentrais, je filais sur la pointe des pieds et passais devant sa porte sans m'arrêter. Mes journées étaient longues et j'étais fatiguée, je n'aurais pas trouvé la force de m'occuper de lui, de l'entendre geindre, de le regarder se défoncer sans rien faire, de l'écouter, d'attendre qu'il s'éteigne. Avant de me coucher, je sortais malgré tout dans le couloir et je tendais l'oreille pour m'assurer que tout allait bien et avoir la conscience tranquille.
Yann voyait un nouveau thérapeute pour ses problèmes et je comblais les trous laissés dans son agenda. Greg ronchonnait. Je craignais un peu qu'il ne prenne mon rôle d'agent trop au sérieux — nounou omniprésente, docteur, femme à tout faire, etc. Or, j'avais moins de temps à lui consacrer. À un moment où il en espérait davantage, où Maria n'était pas là, à ses petits soins.
J'ai besoin de te parler, m'a-t-il annoncé.
Bien sûr, j'ai dit.
D'accord. Ne reste pas debout.
Il m'avait interceptée dans le couloir quand je ne désirais

qu'une chose, couper mon téléphone et me faire couler un bain tandis que le soir venait. Je me suis assise.

Il m'a demandé si je gardais mon manteau. Je l'ai retiré avec un léger soupir. J'avais mes règles, par-dessus le marché.

Écoute, il m'arrive un sacré truc, a-t-il annoncé en prenant un air sombre. C'est un peu de ta faute, d'ailleurs. Avec ces machins qu'elle se met sur la tête. Putain. Enfin bref, j'ai couché avec Sharon.

C'est ta femme, j'ai dit.

Le problème est pas là.

J'ai bâillé.

S'il y avait un problème, ce pouvait être celui que posait Nathan qui pleurait après son argent, ou l'échec de *Richard III*, ou même n'importe quoi, mais ce ne pouvait pas être cette sinistre plaisanterie, cet obscur frisson dont il parlait, ce soi-disant Walhalla sexuel dont il avait imprudemment poussé la porte. J'avais d'autres chats à fouetter.

C'est à cause de tes trucs, dit-il. Je crois. Je ne sais pas. Ça m'excite à mort.

C'est la mode en Chine, j'ai déclaré. Ils ne veulent pas bronzer.

Ça me fait bander, c'est plus fort que moi. Alors tu vois, ça complique tout.

J'ai repris mon manteau et je me suis levée.

Tu m'as fait peur, j'ai dit.

J'avais presque la nostalgie de mon adolescence, quelquefois, de ces années sourdes et blanches du fond desquelles

Yann m'avait arrachée, de ces journées où rien n'arrivait, où je restais seule, où je ne voyais personne, de ces journées rythmées par le lever du jour et le retour de mon père, de nos repas silencieux, de la poussière qui retombait faiblement, de la lenteur des saisons, de l'indifférence, de l'immobilité. Je songeais à ce courant qui m'entraînait et monopolisait toutes mes forces à présent.

J'avais du mal à convaincre Greg de ne pas remonter sur les planches, mais le succès de son dernier film lui donnait envie de retenter l'expérience. Mon téléphone sonnait tous les jours, mais il ne voulait pas s'engager sur de nouveaux projets de cinéma, il voulait réfléchir.

Il avait oublié, semblait-il, ses déconvenues avec *Richard III* deux ans plus tôt et je n'étais pas assez persuasive, pas assez sûre de moi pour l'en dissuader. Il avait peut-être raison, après tout. Son regard s'enflammait lorsqu'il évoquait Tchekhov ou Strindberg, les rôles légendaires, leur lustre, et bien entendu, Maria le poussait dans cette direction. Nathan également. Et quant à Yann, il s'en fichait, il avait d'autres sujets de préoccupation. Il me laissait faire. De sorte que je me sentais un peu seule dans cette histoire, ma position se fragilisait de jour en jour. Sharon ellemême finissait par me lâcher.

Un matin, j'ai capitulé. Greg m'a prise par les bras et Nathan par les jambes et ils m'ont jetée à l'eau. Ils étaient ravis. C'est que tu commençais à devenir chiante, a déclaré Nathan avec un large sourire. J'en ai profité pour effectuer quelques brasses et m'éloigner du bord.

J'ai envie que tu sois fière de moi, m'a déclaré Greg en posant une main sur ma cuisse pendant que je conduisais.
Mais je suis fière de toi, j'ai répondu.
Non, je veux dire, vraiment fière de moi.
J'ai souri sans le regarder. Je me suis garée à l'ombre d'un albizzia en fleur, j'ai retiré sa main et suis allée faire quelques courses et il s'est occupé des journaux.
Au retour, il m'a de nouveau saisi la cuisse pour m'assurer qu'il ne se serait jamais lancé sans mon feu vert.
Il a secoué la tête en gardant les yeux fixés sur la route éclaboussée de confettis lumineux. Le théâtre, c'est quand même la voie royale, a-t-il déclaré.
Je ne regrettais pas spécialement de coucher avec lui lorsque l'occasion se présentait mais je l'avais averti que si j'acceptais de le faire, je ne mélangerais pas tout.
Greg, je conduis, j'ai dit.
Mon frère est revenu vers moi dans l'après-midi et nous avons observé Greg qui s'était mis en tête d'attraper du poisson depuis un escarpement rocheux et s'agitait tête nue, en plein soleil, s'entraînant au lancer dans les miroitements du lac.
Il sait ce qu'il fait, m'a-t-il dit. Il a une cote d'enfer en ce moment. Regarde-moi, est-ce que je m'inquiète.
Visiblement non, il n'était pas inquiet, mais Nathan ne s'inquiétait plus de rien depuis longtemps — tant que les ventes de facekinis et autres accessoires du même ordre continuaient de lui remplir les poches.
Plus tard, en rentrant de l'hôpital — rien de grave, mais il s'était enfoncé un hameçon dans le pouce —, Greg a fait

un malaise. Je me suis rangée sur le bas-côté et tandis qu'il perdait un instant connaissance et piquait du nez vers la boîte à gants, une nuée de lucioles s'est matérialisée autour de nous, un réjouissant tourbillon fluorescent, ballet d'une infinie délicatesse, d'une douceur qui m'a sidérée.

J'ai regretté que Greg ne soit pas en état de profiter du spectacle. Je me suis secouée à contrecœur et suis allée tremper mon mouchoir au bord du lac où la lune s'émiettait comme un miroir brisé. Je me suis rafraîchi le visage et la nuque. Greg s'est penché au carreau, ébouriffé.

Tu m'as fait peur, j'ai dit.

De retour en ville, après les langueurs de l'été, les lucioles, les crèmes solaires, les étoiles filantes, les embruns, Greg est revenu obstinément à la charge — sans doute au cas où je ne l'aurais pas compris — à propos du fossé creusé pour l'éternité entre une star de cinéma et un véritable acteur, et il me pressait de trouver un théâtre et de l'argent toutes affaires cessantes.

Nathan était prêt à investir sur le projet, le montage financier n'était pas un problème, mais trouver une salle de libre avant les fêtes était une autre paire de manches. J'avais beau connaître du monde et Yann encore davantage, rien ne semblait vouloir se libérer à temps pour accueillir le Grand Dessein.

Mais qu'à cela ne tienne, Nathan se faisait fort de persuader le directeur d'un théâtre de nous ouvrir ses portes.

J'ai dit Nathan, ça ne se passe pas comme ça.

Bien sûr que si, a-t-il répondu.

Je me suis tournée vers Greg qui avait posé une fesse sur mon bureau et regardait ailleurs. J'ai dit Greg, toi, explique-lui.
À la mi-octobre, et bien qu'elle se soit promenée tout l'été en maillot deux pièces et ait adopté la formule de Bette Davis *Old Age is not for Sissies*, Patricia a tenté de se suicider. Nathan m'a réveillée à l'aube en sortant des urgences et il m'a demandé de le rejoindre.
Elle dort, a-t-il déclaré.
Il n'y avait rien d'ouvert, nous nous sommes assis sur un banc avec du café dans des gobelets en carton gaufré. Je m'étais couchée tard et Nathan n'avait pas dormi de la nuit.
J'avais besoin d'un peu de compagnie, a-t-il dit. J'ai pensé à toi.
Tu as bien fait.
Tu dormais.
Oui, mais tu as bien fait.
J'avais personne d'autre à qui parler, sinon. Mais là, maintenant, j'ai plus rien à dire. Je me sens vieux, c'est tout.
Il m'a jeté un coup d'œil, a ouvert la bouche, a semblé sur le point d'ajouter quelque chose, mais il s'est ravisé. Il s'est levé en secouant la tête, en disant je suis trop con.
Durant quelques jours, le ciel est resté iridescent, silencieux, immobile, à peine veiné de mauve avec le crépuscule, puis Patricia est rentrée chez elle et les premiers gros orages, les tempêtes, les premières inondations sont arrivés, d'une violence inhabituelle — mais qui n'étonnait

plus personne, tous les signaux étaient au rouge depuis longtemps, impossible de les manquer.
Des tournages ont été interrompus pour cause d'intempéries, d'autres retardés pour des problèmes techniques ou de morosité ambiante et Yann et moi avons été passablement débordés au cours des semaines qui ont suivi — il arrivait parfois que nous soyons contraints, l'un ou l'autre, de nous rendre sur place, de piétiner dans la boue, d'avaler des sandwiches, d'arbitrer des conflits, de faire grincer des dents, de dîner seul, éreinté, au milieu de nulle part.
Sharon tenait le rôle principal d'une série pour adolescents qui en était à sa troisième saison et connaissait un nouveau scandale dont nous tâchions de nous sortir le mieux possible. Il n'y avait rien de nouveau, rien d'extraordinaire, sinon que la série jouissait d'une forte audience et braquait les projecteurs sur elle et les inévitables, récurrentes histoires de drogue et de sexe dont les journaux raffolaient — d'autant plus que les protagonistes étaient mineurs.
De quoi brûler l'énergie qui nous restait tandis que nous frappions aux portes d'un hiver qui s'annonçait rude et dont Patricia avait donné le sinistre coup d'envoi.
La température a chuté d'un seul coup et il a fallu reprendre la distribution de repas et de couvertures avec un bon mois d'avance sur les années précédentes, ce qui ne m'arrangeait pas du tout et empiétait sur le temps que je passais avec Caroline. Mais cela me permettait de souffler un peu, de mettre un frein au rythme des journées, de penser à autre chose — et dans le meilleur des cas de ne plus penser à rien.

Une nuit, le thermomètre est descendu jusqu'à moins vingt et Patricia est morte de froid dans son jardin. Nathan l'a retrouvée au matin, assise dans l'herbe gelée, les yeux grands ouverts, le dos appuyé au tronc d'un mimosa qu'elle avait planté l'année de leur rencontre et il accusait le coup à présent, pâle, fuyant, désorienté, cependant que Yann nous rejoignait dans mon bureau en déclarant qu'il était sidéré, cette pauvre Patricia, mais qu'on ne pouvait empêcher personne de mettre fin à ses jours.
Je ne savais pas si c'était la bonne chose à dire.
Sous un ciel de marbre blanc, en fin d'après-midi, arrivant à pied d'œuvre après une lugubre et vaine tentative de diversion par le zoo désert — allées silencieuses, litières fumantes, absences, grimaces, courants d'air glacés —, je me suis tournée vers Nathan et j'ai dit voilà, nous y sommes, ils font déjà la queue, tu n'es pas obligé.
Plus tard, le regardant s'éloigner dans la nuit noire après qu'il eut consacré une bonne heure de son temps à servir de la soupe aux lentilles, j'ai pensé que Patricia avait sans doute été la meilleure chose qui lui soit arrivée dans la vie. J'en prenais seulement conscience. Pour une sœur, pour quelqu'un du même sang, je ne m'étais pas montrée très perspicace à son sujet. Je me tenais prête à lui adresser un signe de la main au cas où il se retournerait, mais il a disparu derrière l'église et le type devant moi, qui attendait le bras tendu avec son bol, m'a lancé hé, ma jolie, je me gèle les couilles, tu sais.
Je lui ai souri.
Je ne m'attendais pas à trouver Sharon en rentrant. Je la

voyais suffisamment pour le travail, déjeunais quelquefois avec elle, mais elle ne mettait jamais les pieds à la maison et ne s'en offusquait pas — Yann et moi ne faisions pas partie de ses fréquentations et encore moins de ses intimes. J'allais donc lui demander ce qui me valait le plaisir de sa visite quand elle se leva d'un bond, cependant que je me débarrassais de ma parka Canada Goose couverte de givre qui tombait délicatement en poudre à mes pieds. Salut, me lança-t-elle, il faut que je file, Yann t'expliquera.
Sans plus attendre, tirant sur sa microjupe en néoprène qui lui couvrait avec peine l'entrejambe, elle attrapa son manteau de mouton doré et m'effleura la joue en sortant.
Yann commença par me servir un verre.
Je ne voyais pas très bien de quelle fille il s'agissait. Ça ne m'intéressait pas de toute façon et elles devaient être une bonne douzaine à tourner dans la série. Je lui ai dit mais quel imbécile tu fais.
Je ne pouvais pas rester assise en face de lui. Ni ajouter un mot. Je suis brusquement sortie sur la terrasse.
Le ciel était si noir que je n'ai pas eu besoin de fermer les yeux.
Ne crains rien, je vais arranger ça, a-t-il fait dans mon dos. Ne va pas attraper la mort.
Je n'avais pas grand-chose sur les épaules, en l'occurrence. Il faisait un froid de loup mais je ne sentais rien.

Pour baiser une fille mineure, et être assez stupide pour se laisser prendre en photo avec elle et s'imaginer que l'on

ne risquait rien, que tout ça n'aurait pas un prix, il fallait s'appeler Yann et penser que les ennuis n'arrivaient qu'aux autres.
Je me serais fichue de cette histoire s'il n'y avait pas eu Caroline. Yann et moi, sans avoir eu à nous concerter, avions toujours pris soin de la tenir à l'écart de nos multiples arrangements avec la norme, mais notre fille arrivait à présent à un âge où les ombres se dissipaient, où un souffle, un regard oblique, un mot lâché par mégarde en disaient trop long.
Elle aurait toujours le temps de découvrir comment les choses se passaient en réalité — et pour l'heure, de découvrir l'épée suspendue au-dessus du crâne de son père. Du canapé où j'étais allongée, j'avais interrompu ma lecture de la pièce de Fitzgerald — Greg avait commencé les répétitions depuis la veille — pour la regarder. Elle était juchée sur un escabeau et fixait l'étoile scintillante au sommet du sapin en se dressant sur la pointe des pieds. J'aurais voulu que le film s'arrête sur cette image — au moment où elle se tournait vers moi pour avoir mon avis. Rien, absolument rien dans ma vie n'avait jamais ressemblé à ce que j'éprouvais pour elle.
Yann est rentré en fin d'après-midi, il faisait déjà nuit, un froid épouvantable. Maria était venue nous prêter mainforte avec l'arbre que Caroline avait entraîné dans sa chute et qui avait pas mal souffert — contrairement à ma fille qui avait pu sauter en marche et m'avait pratiquement atterri dans les bras.
J'ai croisé le regard de Yann tandis que Caroline lui faisait

part de nos acrobatiques mésaventures et j'ai vu que ça n'allait pas du tout, qu'il ne l'écoutait pas vraiment — je ne vivais pas avec cet homme depuis bientôt une quinzaine d'années sans le connaître un peu, sans faire la différence entre une contrariété passagère et un tourment profond. Maria l'avait remarqué elle aussi et elle s'est aussitôt chargée d'occuper Caroline cependant que j'entraînais Yann à l'écart.

Avant même qu'il ait ouvert la bouche, qu'il se soit décidé à lever les yeux sur moi, mon estomac s'est contracté. J'ai failli lui dire que je ne voulais pas entendre ce qu'il allait m'annoncer. Une petite grêle sombre et sinistre s'est mise à crépiter sur les vitres. Je ne savais pas lequel de nous deux avait pris les mains de l'autre, mais ces diablesses pleines de doigts, brutalement, se sont soudées.

À l'autre bout du salon, manipulant des guirlandes lumineuses, accrochant quelques boules de Noël comme une aveugle en plein trip, Maria ne nous quittait pas des yeux. Elle avait compris, ça ne faisait aucun doute, il n'y avait aucune place pour l'incertitude dans une bonne tragédie, aucune porte de sortie, aucune bouffée, aucune petite goutte d'oxygène.

Oh non, j'ai dégluti. Pas ça.

Je n'avais encore jamais vu un homme pleurer. J'ai retiré mes mains des siennes et je suis allée m'asseoir.

Nous n'étions plus qu'à quelques jours du réveillon et la température ne remontait pas. Ce qui ne m'étonnait guère. L'ambiance était si plombée, si mortifère qu'elle aurait anéanti le moindre rayon de soleil, le moindre espoir de

réchauffement à la maison — nous économisions et réservions les quelques pâles sourires, ersatz de bonne humeur dont nous étions encore capables, à l'intention de notre fille et l'enterrement de Patricia, pour le moins, donna le change à nos grises mines durant une journée entière.
Sur le coup, les larmes de Yann m'avaient brisé le cœur et ma colère ne s'était manifestée que le lendemain matin — manifestée était un grand mot, je ne lui avais pas adressé la parole, j'avais fait comme s'il n'existait pas. Je n'avais pas couché avec lui depuis des mois mais nous avions cependant passé la nuit dans les bras l'un de l'autre — rien de plus —, étendus dans cette obscurité sifflante et atroce qui avait fondu sur nous parce qu'il avait fichu cette gamine enceinte et qu'une énorme vague nous emportait.
Il m'a demandé si je préférais qu'il parte. Je n'avais pas desserré les dents depuis trois jours avec lui. J'ai haussé les épaules. Ça changerait quoi, j'ai dit. Je me préparais à sortir, je suis donc sortie.

Certains hommes ne doutaient vraiment de rien, en particulier de l'attrait qu'ils exerçaient sur les femmes, et leur aveuglement — mais c'était leur force — les rendait d'autant plus ridicules. J'en croisais souvent. Celui qui se tenait assis devant moi, sourire carnassier, la quarantaine suffisante, très jeune cadre, chaussures italiennes, me dévorait tranquillement des yeux.
Je suis votre homme, déclara-t-il en me tendant sa carte. Vous pouvez compter sur moi. C'est toujours un plaisir de travailler pour une jolie femme.

J'ai remis mes lunettes de soleil avant que son regard de feu ne me fasse incontinent perdre la tête.
À mon retour, Yann était seul dans l'appartement — Maria avait emmené Caroline à la patinoire mais il n'avait pas eu le courage de les suivre quant à lui, il avait besoin de réfléchir.
C'est un peu tard, non, j'ai dit.
J'ai posé mon sac, retiré mon manteau. Et sinon, réfléchir ça donne quoi, j'ai ajouté.
Il s'est planté devant la baie, les mains dans les poches. Pas grand-chose, a-t-il répondu.
J'ai allumé une cigarette.
J'ai engagé un détective privé, j'ai dit.
Il s'est tourné vers moi.
Il préparait des spaghettis lorsqu'elles sont rentrées. Le ciel s'était assombri mais le sapin brillait de tous ses feux et répandait une lumière agréable dans l'appartement. Durant un court instant, je me suis sentie forte.
Je n'avais pas eu de nouvelles de Nathan depuis la mort de Patricia. Ne parvenant pas à le joindre pour le soir du réveillon, je suis passée voir comment il se débrouillait dans les trois cents mètres carrés de cet affreux manoir des années cinquante où soi-disant Frank Sinatra avait quelquefois posé ses valises.
J'ai traversé quelques pièces jonchées de cartons avant de tomber sur lui. Les cartons étaient vides et lui-même ne semblait pas en très grande forme — disons vide, lui aussi.
J'ai dit tu déménages.

Il a jeté un regard morne autour de lui. Mmm, je ne sais pas, j'en sais rien, a-t-il répondu. Ça paraît dingue, non.
Il était habillé, mais j'avais l'impression qu'il sortait du lit — mal rasé, chiffonné, bouffi.
Nous avions tellement perdu de temps, tous les deux, nous avions laissé un tel fossé nous séparer, un tel territoire à l'abandon.
Je suis restée un instant désemparée, debout devant lui qui hochait lourdement la tête, calé dans son fauteuil Marie-Antoinette, et j'ai dit viens, allons manger — je détestais cet endroit, cette maison —, sans qu'il réagisse.
Mes relations avec Nathan s'étaient nettement améliorées au cours de ces dernières années, mais il était comme une montagne qui reculait à mesure qu'on s'en approchait. Je l'ai vérifié de nouveau en tendant la main vers lui — ce mouvement de recul qu'il a eu.
Ça ne va pas t'aider, j'ai dit.
Ça aide personne, a-t-il ricané. N'en parlons pas, tu veux. Je suis pas en état, sœurette. J'attends que tu partes. Sinon tant pis, hein. Tu en as vu d'autres.
J'ai enlevé mon manteau tandis qu'il sortait son attirail — après m'avoir doucement souri. J'en ai profité pour ramasser les cendriers et quelques assiettes sales abandonnées sur le piano.
Yann a mis une fille enceinte, j'ai dit en me dirigeant vers la cuisine.
Oh, oh, a-t-il fait.
J'ai nettoyé l'évier, j'ai mis le lave-vaisselle en marche. Malgré la hauteur sous plafond, je me sentais écrasée. Le

jardin en contrebas, le court de tennis, les arbres décharnés se couvraient d'une fine couche de grésil argenté qui tombait en tourbillonnant. Je me souvenais de l'hiver qui avait suivi la mort de nos voisins, après que mon père avait flanqué Nathan dehors et qu'au matin j'avais découvert, en ouvrant la porte, les bois illuminés sous une coquille de glace translucide.

Enceinte. Raconte-moi un peu ça, a demandé Nathan comme je revenais vers lui.

J'allais le faire mais ses yeux se fermaient déjà, si bien que j'ai remis mon manteau et suis sortie après lui avoir laissé un mot où je déclarais compter sur lui pour le réveillon.

Je ne me faisais pas beaucoup d'illusions sur sa présence, en raison des circonstances, mais au moins il m'a appelée et bien que je n'aie pas saisi la moitié des mots qu'il bredouillait d'une voix pâteuse — Greg et Maria s'expliquaient âprement dans l'ascenseur qui filait vers le dernier étage —, je lui ai dit que je comprenais.

Ça ne te concerne pas, a répliqué Maria en regardant Greg droit dans les yeux tandis que les portes s'ouvraient.

Merde, a-t-il répondu. Je l'attendais, celle-là.

Du jour où Sharon avait abandonné ses facekinis — et bien que sa peau ait retrouvé un aspect normal après maintes séances de relissage fractionnel au laser — Greg avait de nouveau perdu tout intérêt sexuel pour sa femme et Maria s'en était réjouie, bien sûr, mais n'était pas pour autant revenue sur sa fatale décision. Le *no sex* était la clé, selon elle, et la suite des événements, l'étrange et

improbable couple qu'ils formaient ensemble, semblait bel et bien lui donner raison. Jusqu'à un certain point.
Le soir tombait déjà, le ciel comme rempli d'une poudre dense et phosphorescente se répandait dans les rues. Nous avons commencé à boire un verre en attendant le retour de Yann et de Caroline surpris dans les embouteillages aux alentours des grands magasins et dans un instant suspendu, aérien, nous nous sommes regardés.
Je vous aime, j'ai dit.
La neige est arrivée plus tard, début janvier, peu abondante, collante, mais le froid s'était montré si féroce que le sol avait durablement gelé et qu'elle n'a pas fondu, transformant aussitôt les rues en patinoires grisâtres et tenaces. Je me suis tordu la cheville en courant dans le parc, j'ai exécuté un vol plané en butant sur une motte de terre dure comme de la pierre et j'ai repris mon travail durant quelques jours en restant cloîtrée à la maison. Un matin que le ciel bleu réapparaissait pour la première fois, et peut-être pour cette simple raison, j'ai demandé à Greg s'il avait une minute à m'accorder — le temps de traverser le couloir, m'a-t-il répondu — et je suis allée lui ouvrir en boitillant, et je l'ai entraîné sans un mot dans ma chambre. Le faire avec lui n'avait jamais atteint des sommets, ce qui expliquait sans doute le caractère épisodique de la chose, mais l'exercice demeurait agréable et peu addictif — quoique consubstantiel, de l'avis de Greg, à une véritable amitié si l'on se donnait la peine d'ouvrir les yeux.
Mais c'est quoi, cette histoire, j'ai demandé.

Oh, tu connais Maria, a-t-il répondu en remontant les oreillers. Elle commence à flipper avec son âge. Elle se cherche.

Le lendemain, le détective m'a appelée.
Durant une seconde, j'ai pensé que ça changeait tout. J'ai dit mais alors, ça change tout.
Pas vraiment, a gloussé l'autre au bout du fil. Elle vit bien en couple, mais avec une fille. Vous êtes toujours là. J'ai des renseignements, des photos à vous montrer. On peut se voir.
Non. Envoyez-moi la facture.
Odile, quel fichu nom. J'ai profité d'être clouée chez moi — ma cheville m'arrachait encore de soudaines grimaces — pour visionner quelques épisodes de la série où elle se produisait aux côtés de Sharon — l'ironie voulait qu'elle soit la seule vierge de l'histoire, ce qu'elle revendiquait avec vaillance et qui lui attirait toutes sortes de vacheries et le mépris des autres filles de la bande.
Il ne fallait pas avoir l'esprit particulièrement tordu pour comprendre le goût de certains hommes pour les femmes-enfants. Il suffisait de la regarder.

Caroline avait tout juste quatorze ans lorsqu'elle a connu son premier chagrin d'amour et je m'y attendais un peu, je m'en inquiétais vaguement, comme d'une maladie infantile qui l'aurait jusque-là épargnée mais s'avérait nécessaire à la fabrication des anticorps qui la protégeraient par la suite.

C'est alors, incidemment, que j'ai pris conscience de n'avoir jamais été amoureuse, de n'y rien connaître, en fait, même en cherchant bien, et cette pensée déroutante ne m'a pas quittée durant des jours. Je n'en parlais à personne. J'étais sidérée.

Ainsi, j'avais pris Caroline dans mes bras pour la consoler, mais j'étais restée sans voix. Lui dire qu'on n'en mourait pas, que la douleur finirait par s'effacer, n'avait aucun sens. Je devais être honnête avec elle. Avec moi. Ne pas raconter n'importe quoi.

C'était pourtant un grand jour, Yann sortait de l'hôpital — après s'être stupidement perforé la rate en se penchant sur le bras d'un fauteuil — et la joie devait l'emporter sur le reste. Le soleil brillait, les magnolias étaient en fleur et l'air sentait bon — malgré un nouveau pic de pollution en début de semaine, mais le contraire aurait surpris. Je lui ai su gré de ses efforts pour accueillir son père, des sourires qu'elle est allée puiser dans ses réserves quand elle avait gémi jusque tard dans la nuit.

De son côté, tassé dans une chaise roulante, Yann semblait à peine revenu d'entre les morts — hémorragie interne, septicémie. Il avait encore le teint gris, le visage émacié. Il a levé une main hésitante devant ses yeux pour se protéger de la lumière de midi.

Puis il a eu un faible rire.

C'est bon, les filles. En route, a-t-il fait.

J'étais heureuse qu'il soit de retour. Nous avons déjeuné sur la terrasse à l'ombre d'un parasol à franges. Il n'avait pas encore beaucoup d'appétit et Caroline pas davantage

mais peu importait, il y avait longtemps que nous n'avions pas été réunis à table tous les trois.
À la fin du repas, s'installant avec précaution dans une chaise longue que j'avais préparée à son intention — oreillers, couverture, inclinaison, orientation —, il m'a demandé ce qu'elle avait et je l'ai mis au courant des déboires sentimentaux de notre fille.
Mmm, la pauvre, Dieu sait que ça fait mal, a-t-il soupiré avant de fermer les yeux, les mains croisées sur le ventre.
J'ai hoché la tête en silence. Quittant la table, j'ai heurté un petit jouet de caoutchouc qui a couiné et Yann a ouvert les yeux et m'a cherchée du regard. Je lui ai souri. Je lui ai fait signe de se rendormir.
Quelques jours plus tard, j'ai donné une fête à la maison. J'hésitais un peu, mais il avait insisté et Maria s'était rangée de son côté, déclarant qu'après un bon mois d'absence, il était temps que la vie normale reprenne son cours. Je savais qu'elle se souciait aussi de ma santé, me voyant courir ainsi dans tous les sens, de projection en cocktail, de rendez-vous en tournage, me lever tôt, rentrer tard, sauter un repas, etc., mais j'avais beau lui assurer que je m'en sortais bien, que j'y prenais le plus souvent plaisir, elle me considérait d'un air incrédule, rempli de perplexité.
Il a fait bonne figure, ce soir-là, il s'est montré héroïque. Alors qu'on l'invitait à s'asseoir, il restait debout, tenait le plus longtemps possible en serrant les dents, parlait de son opération comme d'une histoire ancienne à laquelle il ne fallait plus accorder d'importance, trempait ses lèvres

dans une coupe de champagne, plaisantait, distribuait des poignées de main, complimentait les femmes.
Maria m'a dit tu vois, c'est comme le vélo.
Le plus drôle était que j'avais instantanément perdu, comme par magie, une grande part de l'extrême sollicitude que j'avais suscitée depuis que Yann avait été mis sur la touche et m'avait confié les rênes de son pouvoir.
Oui, ça aussi, a repris Maria. C'est dans l'ordre des choses.
Nous nous sommes couchés tard. Il était épuisé. Dès que nous nous sommes retrouvés seuls, il s'est laissé choir dans un fauteuil et son faible sourire s'est transformé en grimace tandis que l'aube commençait à poindre. Je crois que j'ai trop forcé, a-t-il dit.
J'étais un peu contrariée, de mon côté, mais j'ai pris sur moi. Je l'ai aidé à se déshabiller, à se mettre au lit. J'avais appris de l'infirmière qui venait lui changer son pansement chaque matin comment il fallait s'y prendre et cependant que je m'y employais, que je badigeonnais sa plaie à la teinture d'iode sur l'air d'un couple de pigeons qui roucoulait bruyamment sur la terrasse, j'ai dit au moins, tu es satisfait.
Pas toi, a-t-il demandé.
J'ai répondu bien sûr que si. Belle soirée.
Je suis allée prendre un dernier verre sur la terrasse, clignant des yeux dans l'air frais, accoudée à la balustrade. L'ingratitude, la versatilité de ces gens. C'était quelque chose.

Un matin que j'étais au bureau, tâchant de ne pas trop ruminer mon amertume, Yann m'a appelée et d'un ton où la joie le disputait à l'émotion, il m'a annoncé que son fils venait de faire ses premiers pas — Maria l'avait lâché de l'autre bout du salon et il s'était précipité dans ses bras. D'une traite.
Tu ne dis rien, a-t-il fait.
Si. C'est formidable.
Il faut que tu voies ça. Essaie de ne pas rentrer trop tard.
J'ai raccroché. En soi, si je songeais à ceux de Caroline — ses premiers pas —, l'histoire se répétait de manière assez comique. Mais je devais manquer d'humour, ces temps-ci.
Je suis rentrée tard, j'étais ivre. Confuse, le cœur battant.
Le lendemain, lorsque j'ai ouvert un œil, le soleil était déjà haut. Je suis restée un instant interdite. Je me suis demandé si je n'avais pas rêvé, si je n'étais pas devenue complètement folle. Caroline m'a dit que son père lui avait demandé de me laisser dormir et qu'il était parti depuis un bon moment.
C'était bien, a-t-elle demandé.
Oh, tu sais, j'ai répondu.
En me voyant arriver, Yann a refermé un dossier et m'a décoché un large sourire.
Tu as fait du bon boulot, a-t-il déclaré.
Tu aurais dû m'attendre, j'ai dit.
Un bouquet de fleurs fraîches était apparu sur son bureau.
J'ai senti que l'ambiance avait changé au cours de la journée. Tout le monde était content de le retrouver, les heures semblaient plus suaves, plus lumineuses, comme à la

veille d'un week-end prolongé — je n'aurais pas été surprise d'entendre siffloter dans les couloirs pour fêter le retour du boss, du capitaine, du grand timonier ressuscité des morts, de l'homme irremplaçable, seul apte à conduire le navire.
Nous avons passé des heures à revoir ensemble tout ce que j'avais mis en place, tout ce pour quoi je m'étais creusé la cervelle, engagée et battue. Le diable se cache dans les détails, a-t-il expliqué en me caressant la main — ce qui m'a très vite agacée.
Arrêtons-nous si tu es fatiguée, a-t-il proposé en fin d'après-midi.
Fatiguée, tu plaisantes.
J'aurais donné cher pour attraper mon sac et rentrer, arroser mes plantes et attendre le crépuscule en buvant un verre pour soigner le mal par le mal.
J'avais encore mon arrosoir à la main quand Yann m'a interpellée du salon. Qu'est-ce que tu fais, m'a-t-il lancé. J'ai eu l'impression que tout disparaissait autour de moi dans une vapeur blanche et aveuglante.
Rien, j'ai répondu.
Je n'avais pas revu Erri depuis des années. Jusqu'à cette rencontre improbable, la veille au soir. J'avais passé la journée à éviter d'y penser. Faible créature que j'étais.

Du jour au lendemain, je me suis moins investie dans mon travail — du jour où Erri et moi avons recommencé à coucher ensemble, ce qui n'a pas fait long feu. Non qu'il m'ait à ce point tourné la tête ou ait abusé de mon temps, mais je digérais mal d'être reléguée, de fait, au rôle d'assistante de Yann et je n'assurais plus que le service minimum au bureau — je disais je vous passe mon mari.

C'était sans doute de la fierté mal placée. Ça m'était égal. Je l'assumais. Il était juste que l'assistante soit également une putain, songeais-je lorsque Erri était sur moi et grognait dans mon cou.

Un soir que nous rentrions d'un de ces fichus dîners d'affaires, Yann m'a dit mais qu'est-ce qui t'a pris, bon Dieu.

J'étais là pour ça, non, j'ai répondu.

Nous avions dîné dans un restaurant chic avec le directeur d'une chaîne de télé que Yann comptait mettre dans sa poche.

Mais qu'est-ce que tu as en ce moment, a-t-il repris en desserrant son nœud de cravate avec la précipitation d'un pendu.

Je l'ai regardé sans rien dire.

Le type en question, la cinquantaine décolorée, petite moustache, mains moites, avait passé la soirée à me dévorer des yeux, si bien que pour finir, je m'étais penchée et j'avais retiré ma culotte que j'avais obligeamment déposée devant lui. Pas de quoi en faire un drame.

Yann, je vais me coucher, j'ai dit.

C'est ça, m'a-t-il répondu.

Maria a ri de bon cœur en apprenant cette histoire. Elle m'a tendu Henri-John afin de préparer son biberon et m'a déclaré qu'elle me trouvait à la fois lumineuse et sombre

depuis quelque temps. Ce n'est jamais très bon signe, a-t-elle ajouté.
Elle a posé sur moi un regard attendri, prête à recevoir certaines révélations que j'aurais pu lui faire, mais je n'ai rien dit. Je lui ai rendu Henri-John qui commençait à tirer sur mes boucles d'oreille.
La plupart sont des égoïstes ou des imbéciles, a-t-elle soupiré. Et bien souvent les deux. Ça ne suffit pas qu'ils viennent te manger dans la main, ma chérie.
Un souffle d'air tiède dansait dans les bambous sacrés qui ornaient sa terrasse.
Ça ne t'a pas empêchée de tomber amoureuse, j'ai dit.
Ma foi non, Dieu merci.
Yann est revenu à la charge lorsque je suis arrivée au bureau, encore toute fraîche de ma promenade matinale. Il a commencé par lever le regard sur moi en prenant un air maussade et m'a demandé si j'avais vu l'heure. J'en suis restée interloquée une seconde. J'avais fait un détour pour prendre des nouvelles d'un makhila que j'avais commandé pour son anniversaire.
J'ai regardé ma montre et me suis tournée sans lui répondre pour accrocher ma veste. Une magnifique lumière de printemps inondait les rues, vibrait à travers les stores.
Ta petite exhibition a fait des gorges chaudes, a-t-il poursuivi. Tu t'en doutes, j'imagine.
Oui, mais Yann, j'ai dit, on s'en fiche.
Non, on ne s'en fiche pas.
Il s'est levé avec humeur pour se planter à la fenêtre, les mains croisées derrière le dos.

J'ai demandé si c'était tout.
J'ai repris mes affaires. Tu es ma femme, a-t-il lancé comme je passais la porte.
J'ai appelé Erri d'un bar à jus de fruits installé sur les berges.
Je pensais qu'en m'appliquant un peu, qu'en raison du dépit que j'éprouvais, du vide qui s'installait au fond de moi, j'étais prête. Disponible. Ouverte.
Je me suis précipitée dans ses bras lorsqu'il est arrivé, je l'ai couvert de baisers, j'ai pris sa main et l'ai plaquée sur mon cœur pour lui montrer comme il battait.
Je sens rien, a-t-il dit.
Mais si.
Je n'attendais rien de particulier d'un énième rapport sexuel avec lui, pas de révélation soudaine, non, ce n'était pas ce que je cherchais, mais j'en ai profité pour fermer les yeux, du début à la fin, je me suis mordu les lèvres en pensant très fort à des trésors enfouis, au secret des pyramides, au frémissement de l'aube, au cri de la naissance, aux grottes sous-marines, à la résurrection, à l'explosion des galaxies, au bruit de fond de l'univers.
Non, mais c'était bien, j'ai dit.
Je l'ai observé tandis qu'il reposait, la tête sur l'oreiller, ses beaux yeux globuleux fixés au plafond. J'ai suivi le dessin de son épaule du bout du doigt.
Je dois y aller, j'ai dit. N'oublie pas que tu es garé en double file.
Myriam, je paye pas mes contraventions, a-t-il soupiré.
J'ai de nouveau commandé mon cocktail pomme-carotte-

gingembre — mon préféré — et me suis abîmée dans la contemplation du fleuve, son énormité tranquille, puissante, silencieuse, sans me préoccuper des couples qui flânaient autour de moi, souvent serrés l'un contre l'autre, énamourés, électriques, impatients, liquides, s'égaillant parmi les buissons ardents et les jeunes pousses au feuillage vert tendre.

En passant devant l'enclos où s'ébrouaient les zèbres, j'ai failli pleurer de rage, d'impuissance. Un instant désemparée. Le soir tombait en s'effilochant dans les bleus pâles et les roses orangés.

Caroline est sortie de sa chambre pour m'annoncer qu'elle n'était pas seule. Yann n'était pas encore rentré et elle a jeté un coup d'œil par-dessus mon épaule pour examiner le contenu du frigo devant lequel mon esprit tournait à vide.

Est-ce que la vie est belle, j'ai demandé. Pas besoin de me répondre, tu sais.

Elle a rougi. On regarde un film, a-t-elle déclaré. Je crois qu'on va commander des pizzas.

J'ai hoché la tête en écartant une mèche de son visage. Je vais faire la même chose, j'ai dit. Ton père ne devrait pas tarder.

Je me suis installée pour lire. J'avais besoin de penser à autre chose. De temps en temps, lorsque je levais un œil, la pénombre du dehors avait gagné en intensité et j'ai fini par me lever pour manger. Je n'avais pas faim, j'en avais juste assez d'attendre Yann. Une vague rumeur, des bribes de musique me parvenaient de la chambre de Caroline. La

lune se levait au-dessus du parc. J'ai failli ressortir pour aller courir, mais Yann est arrivé au moment où je me mettais en tenue.
Ne t'en prive pas pour moi, a-t-il lâché d'un ton lugubre. Courir comme un dératé faisait partie des plaisanteries que nous échangions après son opération et que la sienne, de rate, avait fini dans les poubelles de l'hôpital, mais ce temps-là était déjà loin, ça n'amusait plus personne.
Je me suis penchée pour lacer mes Hoka tandis qu'il consultait son téléphone — et que nous échangions de rapides coups d'œil à la dérobée.
Tu n'as rien à me dire, a-t-il demandé.
Non, rien d'important, j'ai répondu en me levant. Rien que tu ne saches déjà.
Ça veut dire quoi. Sois un peu plus claire.
Je suis allée m'asseoir à côté de lui. J'ai pris une de ses mains et l'ai gardée entre les miennes. J'ai hoché la tête en fixant un horizon lointain. Puis je me suis tournée vers lui. J'ai fini par hausser les épaules avec résignation. Si j'avais la réponse à ta question, j'ai dit, je te la donnerais volontiers.
Erri m'a rappelée deux jours plus tard pour me demander ce que je fabriquais et la raison pour laquelle je ne répondais pas à ses derniers messages. Oh, j'ai dit, pardon, je ne les ai pas lus, je suis débordée, figure-toi.
Il est resté un instant silencieux. Tu ne les as pas lus, a-t-il répété.
Non. Mais ça n'a rien de personnel, tu sais. Tu n'as jamais besoin de te couper du monde, toi. Moi si.

Il ne répondait pas, mais je l'entendais respirer. J'étais à la maison, seule, sur ma terrasse, profitant du calme et du silence d'une belle matinée. Je me suis écartée de mon ordinateur pour me caler au fond de mon siège. J'ai levé les yeux au ciel sur le passage d'une nuée d'oiseaux noirs et un vers de Rimbaud m'a traversé l'esprit. *Dispersez-vous, ralliez-vous !* J'ai senti comme le souffle d'un baiser tiède se poser sur mes lèvres.
Tu es toujours là, j'ai demandé.
Il avait raccroché.

Œuvres de Philippe Djian (suite)

ÉCHINE, *roman*, 1988.

CROCODILES, *histoires*, 1989.

LENT DEHORS, *roman*, 1991 (Folio nº 2437).

Chez d'autres éditeurs

LORSQUE LOU. *Illustrations de Miles Hyman*, Futuropolis/Gallimard, 1992.

BRAM VAN VELDE, *Éditions Flohic*, 1993.

ENTRE NOUS SOIT DIT: CONVERSATIONS AVEC JEAN-LOUIS EZINE, *Presses Pocket*, 1996.

PHILIPPE DJIAN REVISITÉ, *Éditions Flohic*, 2000.

ARDOISE, *Julliard*, 2002.

DOGGY BAG, *Éditions 10-18*, 2007.

LUI, *Éditions de l'Arche*, 2008.

LA FIN DU MONDE, avec Horst Haack, *Éditions Alternatives*, 2010.

Composition : IGS-CP à L'Isle-d'Espagnac (16)
Achevé d'imprimer par CPI Firmin Didot,
le 13 février 2016
Dépôt légal : février 2016
Numéro d'imprimeur : 133501

ISBN : 978-2-07-014320-7/Imprimé en France

257036